La increïble història de...

Paper certificat pel Forest Stewardship Council®

MIXT
Paper procedent de fonts responsables
FSC® C117695

Penguin Random House Grupo Editorial

Títol original: *Gangster Granny Strikes Again!*

Primera edició: abril del 2023
Primera reimpressió: març del 2024

Publicat originalment al Regne Unit per HarperCollins Children's Books,
una divisió de HarperCollins Publishers Ltd.

Disseny de la coberta: adaptació del disseny de portada de HarperCollins
Publishers per a Penguin Random House Grupo Editorial
Il·lustració de la coberta: Tony Ross

Printed in Spain – Imprès a Espanya

ISBN: 978-84-19169-64-8
Dipòsit legal: B-2.803-2023

Compost a Compaginem Llibres, S. L.
Imprès a Rotoprint by Domingo, S. L.
Castellar del Vallès (Barcelona)

GT 6 9 6 4 8

David Walliams

La increïble història de...

L'ÀVIA GÀNGSTER ATACA DE NOU

Il·lustracions de
Tony Ross

Traducció de
Núria Parés

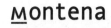

Montena

Per a la meva meravellosa mare,
que també és una àvia gàngster

GRÀCIES

MESTRES DEL CAMUFLATGE:

ANN-JANINE MURTAGH
La meva editora executiva

CHARLIE REDMAYNE
Director general de Harper Collins

TONY ROSS
El meu il·lustrador

PAUL STEVENS
El meu agent literari

HARRIET WILSON
La meva correctora

KATE BURNS
Editora gràfica

SAMANTHA STEWART
Gerent editorial

VAL BRATHWAITE
Directora creativa

ELORINE GRANT
Directora artística

KATE CLARKE
Directora artística

MATTHEW KELLY
Director artístic

SALLY GRIFFIN
Dissenyadora gràfica

GERALDINE STROUD
Directora de
relacions públiques

TANYA HOUGHAM
Audioeditora

Fa un any que en Ben va perdre la seva estimada àvia gàngster, però la llegenda del Gat Negre... continua viva!

AQUESTS SÓN ELS PROTAGONISTES DE LA HISTÒRIA

BEN

El nostre heroi és un noi de dotze anys que ha viscut una aventura extraordinària. Amb l'ajuda de la seva àvia, disfressada de Gat Negre, va estar a punt de robar les joies de la Corona de la Torre de Londres. No obstant això, els seus dies com a lladre de joies internacional s'han acabat. Ara en Ben se centra en el seu gran somni: convertir-se en llauner.

MARE

De dia, la Linda treballa en un saló de manicura. De nit, és una superfanàtica dels balls de saló. El seu programa preferit de la televisió és *Senzillament estrelles del ball*. Hi ha un ballarí professional que li encanta. Es diu Flavio Flavioli, i la mare ha convertit casa seva en una mena de santuari dedicat a ell. La Linda està obsessionada perquè el seu únic fill, en Ben, s'oblidi del somni de ser llauner i es converteixi en una estrella del ball com en Flavio.

PARE

El pare és guarda de seguretat al supermercat del barri. En Pete no és pas cap heroi —en els últims deu anys només ha enxampat un pispa, i era un avi amb caminador que se n'anava amb unes capses de margarina—, però també li encanten els balls de saló. L'afició li ve de la seva dona, i tots dos assagen passos de ball per tota la casa.

RAJ

En Raj és el botiguer més estimat de la ciutat. Regenta el curiós i desordenat quiosc del barri, però tothom hi va per gaudir de les seves ofertes magnífiques i de les llaminadures caducades. En Raj sempre ha sigut un bon amic d'en Ben, sobretot d'ençà que aquest darrer va perdre l'àvia, i en tot moment està disposat a animar el noi amb algun acudit o amb una xocolatina de franc.

SENYOR PARKER

El senyor Parker, el veí tafaner, és un comandant retirat i ara dirigeix el grup de Vigilància Veïnal, Secció Atrotinats. És un conjunt de gent gran del barri que s'ha unit per vigilar que no hi hagi lladres, però el senyor Parker el fa servir com a excusa per espiar tothom. I precisament una de les persones en qui té l'ull posat és en Ben. El veí tafaner estava convençut que el noi i la seva àvia havien robat les joies de la Corona, però ningú no se'l va creure. Ara, el senyor Parker està disposat a venjar-se'n!

FLAVIO FLAVIOLI

En Flavio és l'ídol del popular programa de televisió *Senzillament estrelles del ball.* El rei italià de la pista de ball té la pell supermorena gràcies a l'esprai bronzejador, els cabells engominats cap enrere i la dentadura més increïblement blanca que s'hagi vist mai. Porta vestits de ball d'una sola peça de colors brillants, o sigui que tot ell és com un caramel ensucrat embolicat amb paper lluent.

EDNA

En Ben va conèixer l'Edna a l'enterrament de l'àvia. És la cosina de l'àvia. L'Edna va quedar encisada amb en Ben, i durant l'últim any s'han fet molt amics. El noi va cada diumenge a la residència d'avis on viu l'Edna per berenar, fer una partida de Scrabble i xerrar dels vells temps.

LA BIBLIOTECÀRIA

Aquesta senyora ha treballat a la biblioteca tota la seva vida. Desconfia d'en Ben, i sempre que el noi va a la biblioteca, ella no li treu els ulls de sobre.

LA REINA

A la reina no li calen presentacions. Va conèixer en Ben i la seva àvia la nit que van intentar robar les SEVES joies de la Corona de la Torre de Londres. La reina va quedar tan commoguda pel seu vincle especial que els va perdonar immediatament.

MAJORDOM EL MAJORDOM

El senyor Majordom és el majordom del palau de Buckingham, amb aquest nom tan apropiat. Més vell que l'anar a peu, ha servit lleialment la reina d'ençà que aquesta era una nena.

AGENT DE POLICIA FUDGE

En Ben i l'àvia van conèixer l'agent de policia Fudge quan anaven a robar les joies de la Corona. El policia els va aturar quan l'àvia circulava amb la seva escúter de mobilitat reduïda per l'autopista. Van aconseguir enredar-lo, i l'home va acabar acompanyant-los amb cotxe fins a la Torre de Londres!

MILLICENT

És el nom de l'escúter de l'àvia d'en Ben. L'hi va deixar com a herència, perquè sabia que al noi li agradava molt. Ara la té guardada al garatge.

EL GAT NEGRE

?

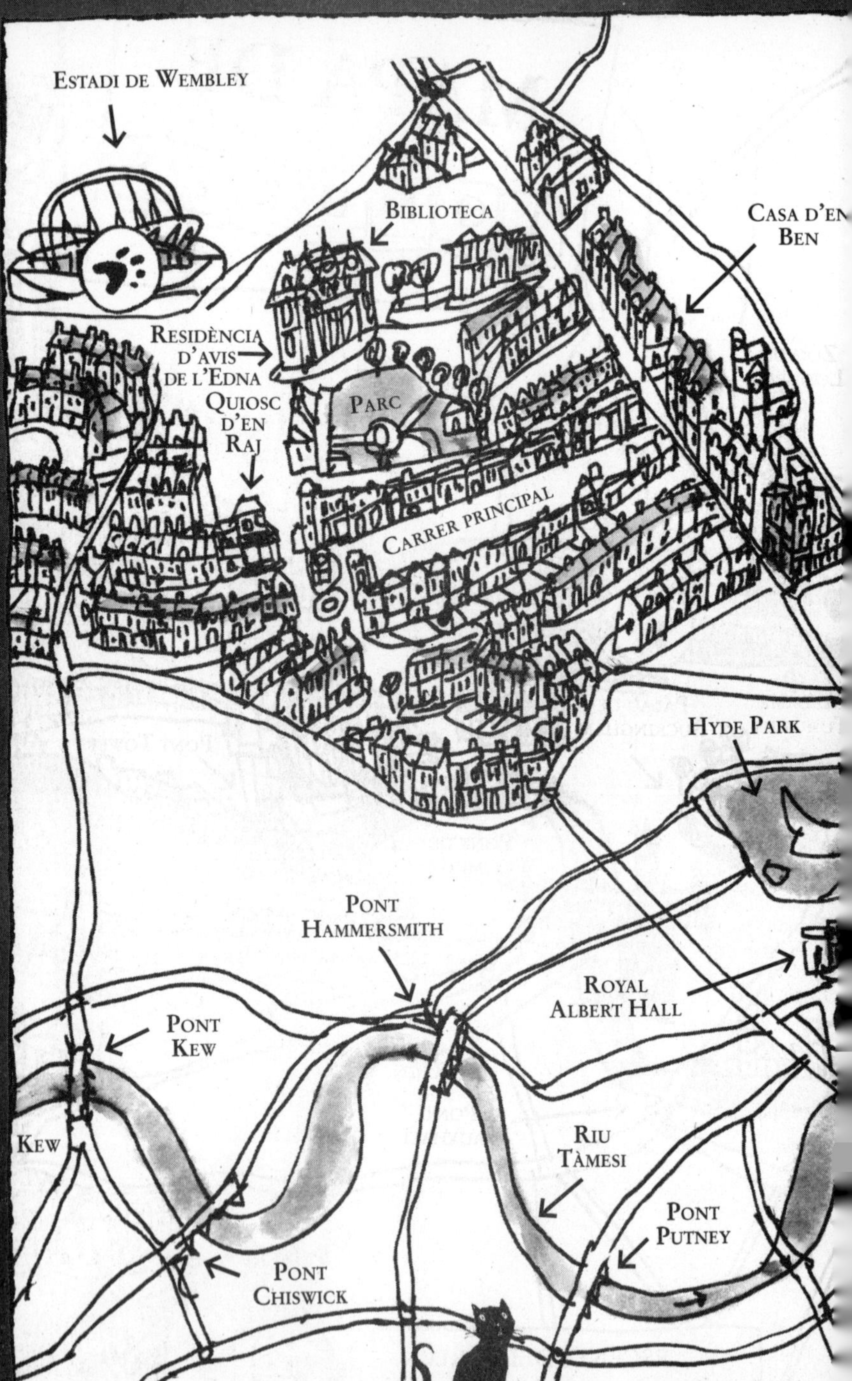
Estadi de Wembley
Biblioteca
Casa d'en
Ben
Residència
d'avis
de l'Edna
Quiosc
d'en
Raj
Parc
Carrer principal
Hyde Park
Pont
Hammersmith
Royal
Albert Hall
Pont
Kew
Kew
Riu
Tàmesi
Pont
Putney
Pont
Chiswick

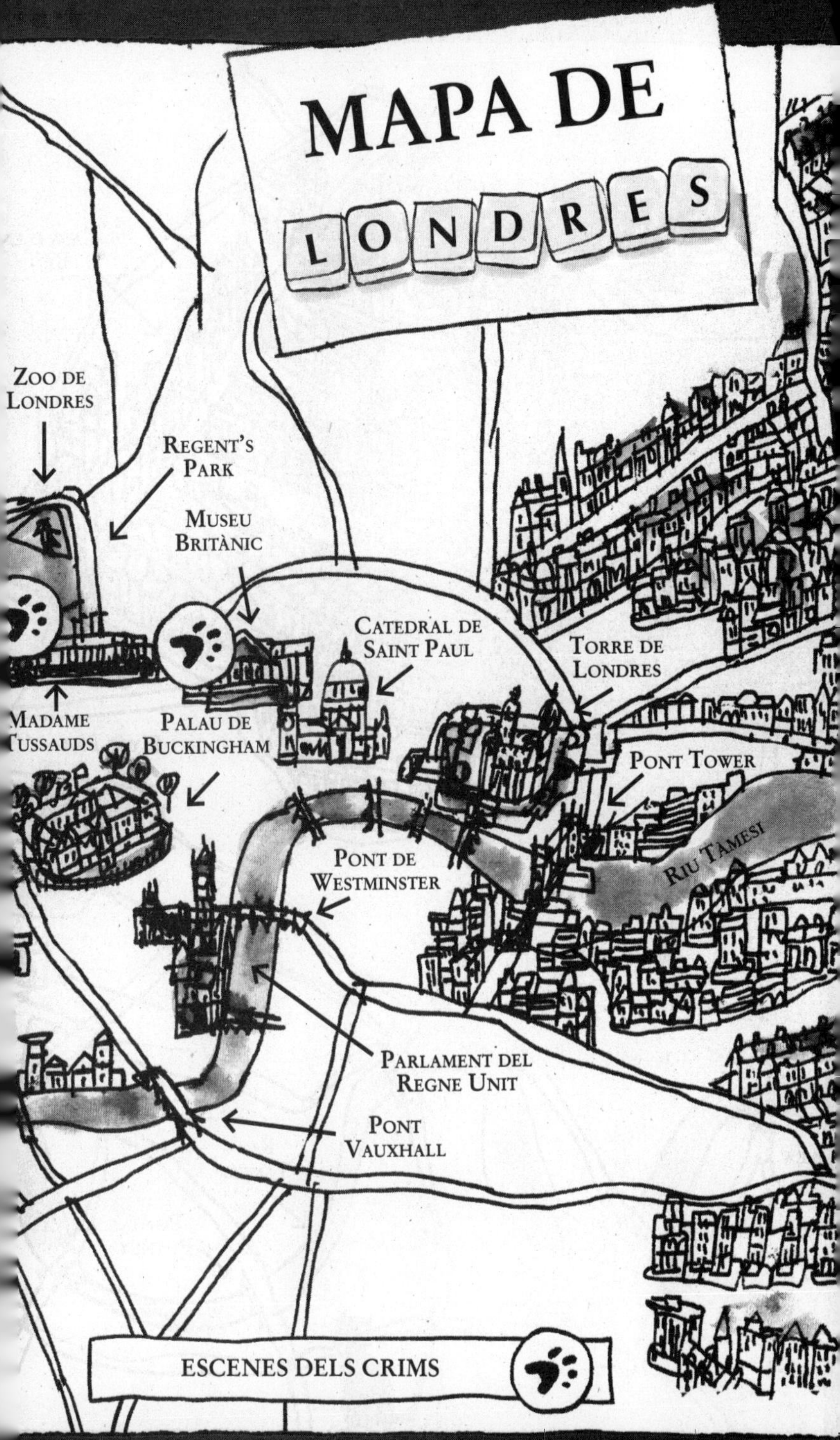
MAPA DE
LONDRES
ZOO DE LONDRES
REGENT'S PARK
MUSEU BRITÀNIC
CATEDRAL DE SAINT PAUL
TORRE DE LONDRES
MADAME TUSSAUDS
PALAU DE BUCKINGHAM
PONT TOWER
PONT DE WESTMINSTER
RIU TÀMESI
PARLAMENT DEL REGNE UNIT
PONT VAUXHALL
ESCENES DELS CRIMS

PRIMERA PART

EL RETORN DEL GAT

1

UN POM DE COLS BONIC

—Cols? —va dir una veu darrere d'en Ben.

El noi era al cementiri, dret davant de la làpida de l'àvia. Feia un any que s'havia mort, i en Ben li havia anat a portar un pom de cols ben bonic per commemorar-ho.

En Ben es va girar. Era una cara familiar. L'Edna, la cosina de l'àvia. L'havia conegut el dia del funeral, per les festes de Nadal de l'any anterior, i de seguida havien fet amistat. Ara, un cop per setmana, en Ben anava a la seva residència d'avis per xerrar-hi una estona, sovint de l'àvia, i per ajudar-la amb qualsevol problema de lampisteria, motiu pel qual era superpopular entre la gent de la residència.

L'Edna era ben bé una àvia de manual.

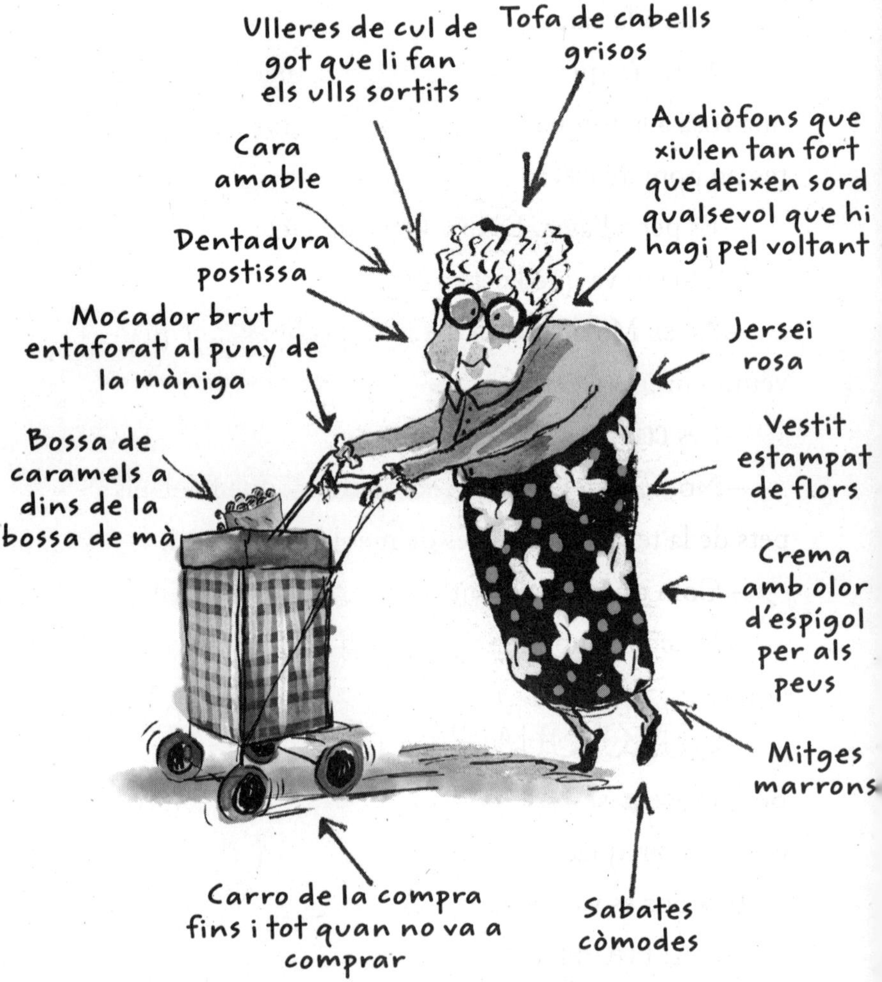

—Oh, hola, Edna —va contestar en Ben—. Què hi fas, aquí?

La dona duia una rosa vermella a la mà i un somriure trist a la cara.

—Mira, és que vinc un cop per setmana a deixar una rosa a la tomba del meu marit. Com és que portes un pom de **cols**?

—És per a l'àvia. És que li encantaven.

L'Edna es va quedar pensativa.

—Ai, sí. Me'n recordo de la fressa que feien quan venia a prendre el te.

—Les **cols** no parlen!

—No. És que em refereixo al soroll que feien els pets de la teva àvia després de menjar-ne. Com...

—Com un ànec clacant! —va exclamar en Ben.

—Exacte, jo no ho hauria pas sabut descriure millor, noi!

—QUAC! QUAC! QUAC! —va imitar en Ben, movent-se feixugament pel camí mentre pronunciava un quac a cada pas.

Tots dos es van posar a riure.

—HA! HA! HA!

Una llàgrima li va rodolar per la galta. En Ben no estava segur de si era una llàgrima de felicitat o de pena. Segurament una mica de les dues coses. La mort de l'àvia l'havia afectat molt, a en Ben. Malgrat la diferència d'edat, estaven més units que ningú més a la família. Quan l'àvia es va morir, a en Ben li va semblar que el món pararia de girar. Però no va ser així. Simplement, la vida va continuar amb normalitat, i en Ben va anar fent les coses de sempre, com ara:

Rentar-se les dents...

Anar a l'escola...

Dutxar-se...

Fer els deures...

I llegir **EL SETMANARI DEL LLAUNER**.

Però sempre la trobava a faltar. Sense l'àvia, era com si li faltés una part d'ell mateix.

—No sé per què ploro —va dir, somicant.

L'Edna es va treure el mocador brut de dins la màniga i li va eixugar la cara.

—Perquè l'estimaves. Estar trist és el preu que pagues per l'amor. I et ben asseguro que tu eres la nineta dels seus ulls! T'adorava, Ben. Mai no es cansava de parlar de tu!

El noi va alçar la vista al cel.

—Creus que ara l'àvia ens mira des d'allà dalt?

—Segur que sí —va contestar l'Edna—. I molt orgullosa, m'imagino, de veure el jovenet amable en què t'estàs convertint, sempre pendent de mi i ajudant-me amb els problemes de lampisteria.

—L'àvia era una persona molt especial. No era una àvia normal i corrent. Era la meva...

En Ben va dubtar. Estava a punt de dir **«àvia gàngster»**!

—La teva què, rei? —va preguntar l'Edna.

—Res —va mussitar en Ben. Havia de guardar el secret de l'àvia. No podia revelar-lo ni a la seva millor amiga, l'Edna. Ningú més no sabia res sobre la doble vida de l'àvia com a lladre de joies internacional, amb el sobrenom de **GAT NEGRE**. Bé, ningú més a part de *Sa Majestat la reina*, que els va enxampar intentant robar les joies de la Corona aquella fatídica nit a la Torre de Londres.

—Estaves a punt de dir-me alguna cosa, maco...

—Potser un altre dia —va contestar en Ben—. Et vindré a veure diumenge, a l'hora de sempre.

—Ja tindré l'**SCRABBLE** a punt! I no et descuidis dels **caramels de menta**!

—No pateixis!

Mentre en Ben marxava del cementiri, l'Edna se'l mirava somrient i li va fer adeu amb la mà. Després, va anar a deixar la rosa vermella a la tomba del seu difunt marit.

Just en aquell moment, en Ben va veure un **gat negre** que sortia sigil·losament de darrere la làpida de l'àvia.

Es movia com una pantera. El gat es va girar, va mirar directament el noi i va miolar.

–MEU!

En Ben es va ajupir per acariciar el gat, però l'animal va desaparèixer tan ràpid com havia aparegut. Va saltar per sobre del petit mur de pedra que envoltava el cementiri i després, amb un

altre salt,

es va esfumar.

2

UN SABERUT

DING!

La campaneta de la porta va ressonar quan en Ben va entrar al quiosc.

—Ah, Ben! El meu client preferit! —va anunciar amb veu alegre l'home de darrere el taulell. En Raj era com una d'aquelles gominoles en forma de ninotet, però de mida gegant: sempre somrient i amb una fina capa de sucre.

—Hola, Raj! —va contestar en Ben—. Que tens **EL SETMANARI DEL LLAUNER**?

—Deixa't estar de tubs i cisternes i claus de pas! —va exclamar l'home—. Que no has vist la notícia?

—Quina notícia?

—La notícia notícia!

—Quina notícia notícia?

—La notícia notícia notícia!

—Quina notícia notícia notícia?

—La màscara de Tutankamon... —en Raj va fer una pausa dramàtica—, l'han robat!

Era la notícia de portada del diari.

The Daily News

EL ROBATORI MÉS GRAN DE LA HISTÒRIA!

La màscara funerària del rei Tutankamon ha desaparegut. Recentment restaurada, estava exposada al Museu Britànic de Londres, que la tenia en préstec del Museu d'Antiguitats Egípcies del Caire. Ahir a la nit, la màscara funerària va ser sostreta en el que es considera el robatori més gran de la història, perquè la màscara és increïblement valuosa. Data de fa més de 3.000 anys, quan va ser col·locada a la tomba del jove rei egipci Tutankamon. La màscara d'or massís està adornada amb pedres precioses. Va ser elaborada especialment perquè el faraó se l'endugués a l'altra vida quan es va morir, a l'edat de divuit anys. La màscara funerària de Tutankamon és un dels objectes més famosos del món, i com a tal és impossible de valorar.

—Aquesta màscara deu valdre milions! —va exclamar en Ben.

—Bilions!

—Trilions?

—Esquilions!

—Els esquilions són una quantitat real? —va preguntar en Ben.

—No n'estic segur. Però una milionada, sí.

DING!, va tornar a sonar la campaneta de la porta. Immediatament, tots dos es van girar i van veure que la porta era oberta, però no hi havia ningú.

—Qui ha sigut? —va mussitar en Ben.

—Ningú —va respondre en Raj.

—No pot ser que no hagi sigut ningú.

—No he pas vist cap persona entrant ni sortint.

—Doncs qui ha sigut?

—Una ràfega de vent —va dir en Raj, mentre s'acostava a la porta per tancar-la.

Mentrestant, en Ben examinava els passadissos de la botiga, però no hi va veure ningú.

Va abaixar més el to de veu.

—Així, qui l'ha robat, la màscara de Tutankamon?

—No se sap pas. Però el lladre ha sigut prou agosarat per deixar fins i tot una pista.

—Quina mena de pista?

—Segons el que han dit per la ràdio, es veu que el lladre ha lletrejat una pista amb peces de l'**SCRABBLE** a l'escena del crim.

El noi va fer uns ulls com unes taronges. L'**SCRABBLE** sempre havia sigut el joc preferit de l'àvia.

—I què deien les lletres de l'**SCRABBLE**?

—**MEU!**

—Meu?

—Meu! Com un gat: MEU!

En Ben va quedar atònit i en silenci. Allò semblava ben bé una pista de la identitat del lladre.

—Estàs bé, Ben? —va preguntar en Raj.

—Sí, sí —va mentir.

—Estàs molt blanc! —En Raj va córrer d'una banda a l'altra de la botiga—. Té, ensuma aquests **caramels de menta** extraforta, a veure si et refàs una mica!

L'home va acostar la bossa al nas del noi, i en Ben va fer una llarga inspiració mentolada.

—És impossible —va murmurar en Ben.

—El què és impossible?

—No pot ser veritat!

—Doncs ho és! Mira! També surt a la tele!

Tot seguit, en Raj va prémer el botó del petit televisor en blanc i negre que tenia al prestatge de darrere del taulell. Va aparèixer la imatge parpellejant.

En aquell moment, el presentador anunciava: «I ara, les notícies d'última hora. S'ha produït un fet increïble. La màscara de Tutankamon...».

—Oh, Déu meu! La deuen haver trobat! —va exclamar en Raj.

«... encara està desapareguda...».

—No sé per què es molesten a repetir-ho —va rondinar en Raj apagant el televisor.

En Ben s'havia quedat pensatiu. El robatori d'un artefacte molt valuós d'un museu estrictament vigilat tenia totes les empremtes del **GAT NEGRE**. Qui més, a part d'un llegendari lladre de joies internacional, podia fer un cop tan agosarat com aquell? Fins i tot les peces de l'**SCRABBLE** lletrejaven M E U. Això no era una pista. Era una burla que deia a la policia: «No m'atrapareu!».

Però —i aquest era un GRAN PERÒ*— el lladre no podia ser l'àvia gàngster. Feia un any que s'havia mort.

Per tant, allò era un ENIGMA GEGANT i en Ben volia resoldre'l tant sí com no.

—Ben, te'n recordes que fa un any van deixar aquelles joies tan valuoses davant la porta d'aquella botiga del barri? —va preguntar en Raj.

—A dins d'una caixa de galetes! I tant que me'n recordo —va contestar el noi.

Eren les joies que va trobar una nit a la cuina de l'àvia. Un descobriment que havia posat en marxa tota l'aventura!

L'àvia li havia jurat que tot plegat era quincalla sense cap mena de valor i que ella no era el **GAT NEGRE**.

Però havia sigut un DOBLE ENGANY!

Les joies va resultar que valien milions, i tots els

* No un GRAN PETÓ. Això és una cosa completament diferent i no s'escau en un llibre infantil.

diners es van destinar a ajudar la gent gran. L'àvia realment havia sigut una autèntica **GÀNGSTER**!

—Va córrer el rumor per tota la ciutat que les joies devien provenir del botí d'algun lladre de fama mundial! —va dir en Raj—. Un lladre de qui ningú no sabia el nom!

—Home, doncs així no era pas tan famós.

—No et facis l'espavilat, saperut!

—Es diu «saberut»!

—Mira, s'han acabat les ofertes especials per a tu!

—De totes maneres, el robatori de la màscara de Tutankamon no pot ser obra del mateix lladre.

—I com ho saps, això, tu? —va dir una veu darrere seu.

En Ben es va girar espantat. Es va trobar cara a cara amb el seu enemic tafaner.

—Senyor Parker!

—va exclamar.

3

UN MUNT DE PROBLEMES

El senyor Parker era la persona més tafanera que hagi existit mai. Era un comandant retirat i ara dirigia el **grup de Vigilància Veïnal**, Secció Atrotinats. Estava format per una colla de gent gran del barri que s'havia unit per vigilar que no hi hagués lladres, però el senyor Parker ho feia servir com a excusa per espiar absolutament tothom.

El senyor Parker va estar a punt de buscar a en Ben i la seva àvia un munt de problemes quan van intentar robar les *joies de la Corona*. Aquella nit, el senyor Parker havia acabat humiliat per la policia, que no es va creure la seva història. En Ben i l'àvia n'havien sortit indemnes, però d'ençà d'aquell dia el senyor Parker tenia una TÍRRIA ENORME AL NOI. Estava decidit a veure finalment en Ben desemmascarat com a cervell del crim.

—He dit —va puntualitzar el veí tafaner amb la seva veu nasal— que com és que saps tantes coses sobre el robatori de la màscara de Tutankamon.

—Eeeh... —va fer en Ben—. Jo no sé res!

—Acabes de dir que sí!

—Ah, sí?

—SÍ!

—Ai, senyor Parker! —va començar en Raj, girant-se cap a l'home—. El meu client menys preferit!

El senyor Parker duia el seu habitual barret aplanat, impermeable i sabates marrons més que polides. Amb aquella benvinguda d'en Raj, la seva **CARA DE POMES AGRES** es va **AGRIR** una mica més.

—Mmm —va fer el senyor Parker. No va quedar

clar què volia dir amb això, però va sonar com una desaprovació—. T'hauria de denunciar!

—Per què? —va preguntar el quiosquer.

—Per vendre xocolatines caducades! —va exclamar el senyor Parker, alçant una xocolatina que havia agafat del taulell.

—Deixi-m'ho veure! —li va etzibar en Raj, arrabassant-li la xocolatina de les mans.

El quiosquer va examinar l'embolcall.

—Només fa deu anys que va caducar! Es pot menjar perfectament!

Un somriure sinistre va aparèixer a la cara del senyor Parker.

—Molt bé, doncs, menja-te-la tu, Raj!

—Jo?

—Sí! Tu!

En Raj va llançar una mirada de pànic a en Ben. Necessitava ajuda. El noi va arronsar les espatlles. En Raj va brandar el cap i va desembolicar la xocolatina.

—Té tant de temps que la xocolata s'ha tornat blanca! —va exclamar el senyor Parker.

—Ja ho ha de ser, de blanca —va mentir en Raj—. Està feta de xocolata blanca.

—A l'embolcall diu «xocolata negra» —va afegir en Ben, amb innocència.

—No m'ajudes gens, així, Ben! —va remugar en Raj, i tot seguit va fer una mossegadeta a la punta de la xocolatina florida.

—La xocolata es torna blanca com la caca de gat resseca? —va preguntar en Ben.

—No m'ajudes gens ni mica, noi!

—MENJA! —va ordenar el senyor Parker.

El pobre Raj tenia llàgrimes als ulls mentre es menjava, amb penes i treballs, la xocolatina seca i florida que havia caducat feia tants anys. Però mentre mastegava, de manera inesperada, va començar a fruir d'aquell gust àcid.

—Mmm! La veritat és que és deliciosa! Una anyada excel·lent! Tasti-la, sisplau!

Això va fer enrabiar el senyor Parker.

—Tant me fa la xocolatina! Ben, m'has de dir tot el que sàpigues sobre el robatori d'ahir a la nit. Perquè el robatori de la màscara de Tutankamon té tots els trets distintius d'un dels delictes de la gàngster de cabells blancs: la teva àvia! O més aviat potser hauria de dir... del seu CÒMPLICE!

En Ben es va empassar saliva.

—No sé pas què vol dir.

—Saps perfectament què vull dir, Benjamin Herbert.

En Raj va alçar la mà enlaire.

—No tinc ni idea de què esteu dient!

El senyor Parker va entretancar els ulls.

—A veure, bestiola infecta —va dir, adreçant-se a en Ben—. On eres ahir al vespre?

—Al lavabo de casa arreglant la cadena del vàter! —li va etzibar en Ben.

—Arreglant la cadena del vàter! Quina bajanada!

—No és cap bajanada. És veritat!

—Tens una coartada?

—Una què?

—Algú que pugui confirmar on eres! —va tronar el senyor Parker.

—Només el vàter. I els vàters no parlen.

—El meu sí! —va intervenir en Raj—. Precisament ahir al vespre juraria que va gemegar de dolor quan m'hi vaig asseure!

—Un robatori audaç a mitja nit perpetrat per una figura tota vestida de negre —va continuar el senyor Parker, assenyalant una foto granulada extreta de les càmeres de seguretat del museu, que ocupava les portades de tots els diaris.

—Jo no em vesteixo de negre! —va protestar en Ben.

—Tu i la teva àvia anàveu tots negres la nit que us vaig enxampar!

—A part d'aquella nit, no hi vaig mai!

El senyor Parker es va mirar en Ben de dalt a baix.

—Ara mateix, portes uns mitjons negres!

—Un és blau marí.

—Potser portes uns calçotets negres!

—Doncs no, resulta que són marrons! —va replicar en Ben.

—Molt hàbil —va mussitar en Raj—. Jo faig el mateix. Per si de cas se t'escapa un pet buuumtàstic!*

—Deixa't estar de pets! Escolta'm bé, noiet... —va dir el senyor Parker, inclinant-se per mirar en Ben a la cara—. Et tinc els ulls posats a sobre!

Sense deixar de mirar-lo, va començar a retrocedir de manera teatral. Com que no mirava cap on anava, el senyor Parker va xocar contra un expositor de postals.

BONG!

Va trontollar.

FLAP-FLAP!

Les targetes de felicitació van sortir volant en l'aire com papallones...

PATAM!

... i van caure a sobre d'ell com una dutxa.

—Au! El meu cul! —va cridar el senyor Parker des de terra.

* Paraula de l'**univers Walliams**, on hi ha les millors paraules inventades del món. La definició de «buuumtàstic» és «estrepitós».

Una postal que deia «Espero que et recuperis ben aviat» li va aterrar a la cara.

—Sembla que no li hauré d'enviar cap postal! —va fer broma en Ben.

—Ep, les targetes de felicitació estan d'oferta! —va afegir en Raj—. Cent trenta-set targetes pel preu de cent trenta-sis!

—AJUDEU-ME, RUCS! —va retronar el senyor Parker.

En Ben i en Raj van aixecar l'home agafant-lo per les aixelles.

—Uuuf! —va exclamar el senyor Parker quan va tornar a estar dret—. I ara deixeu-me, bèsties!

En Ben i en Raj van intercanviar una mirada de confusió. Ni l'un ni l'altre sabien per què ara tot d'una eren «bèsties», però van deixar estar el senyor Parker.

—L'última vegada te'n vas sortir amb mentides! Però aquest cop no tindràs pas tanta sort! —va dir, i va marxar de la botiga.

DING!

Mentre en Raj redreçava l'expositor, en Ben va començar a col·locar de nou les postals al seu lloc.

—De què anava tot això? —va preguntar en Raj.

—No en tinc ni idea —va mentir en Ben.

—Au va! Soc el teu oncle Raj. No cal que m'amaguis secrets.

—No tinc cap secret!

—Tothom té secrets! Era per alguna cosa de la teva àvia?

—No! —va respondre en Ben, una mica massa ràpid perquè semblés veritat—. Me n'he d'anar a casa. La mare i el pare deuen estar amoïnats.

—Sí, afanya't. Vols endur-te la **Revista dels Balls de Saló** per a la teva mare? Me la va encarregar. Aquest mes surt en Flavio a la portada!

Efectivament, hi havia una foto del ballarí presumit de **SENZILLAMENT ESTRELLES DEL BALL** bufant un petó als lectors.

—No! Una altra vegada aquest! —va mussitar en Ben—. Sí, doncs me l'emporto.

En Raj va furgar la seva botiga abarrotada fins que finalment en va trobar un exemplar.

—**Revista dels Balls de Saló? Revista dels Balls de Saló? Revista dels Balls de Saló?** Ah, fixa't! Ja la tinc. Al congelador! És clar! Ben fresqueta perquè es conservi!

Dit això, li va donar la revista, que estava tan freda que desprenia una boirina blanca.

OSTRES!

En Ben va ficar la revista congelada a dins d'**EL SETMANARI DEL LLAUNER**. No volia pas que ningú es pensés que ell llegia la **Revista dels Balls de Saló**! A ell li agradaven les cisternes i les aixetes, no els vestits brillants de ball! Va deixar els diners a sobre el taulell.

—Aquí ho tens, Raj!

—Tinc les xocolatines blanques d'oferta especial.

—No, gràcies, Raj. No m'agrada la xocolata blanca!

—Deixa-m'hi donar una ullada —va dir en Raj, mentre desembolicava una xocolatina blanca del taulell—. Aquesta només fa vint anys que està caducada. I... ai, fixa't, estàs de sort! La xocolata blanca s'ha tornat marró!

En Ben no s'hi volia pas arriscar.

—No cal, gràcies, Raj!

—Oh! Els nanos d'avui dia teniu unes manies! —El quiosquer va fer una queixalada a la xocolata florida—. Deliciosa! Ja sé què faré: posaré les xocolatines blanques que s'han tornat marrons en els embolcalls de xocolata negra, i les xocolatines negres que s'han tornat blanques, en els embolcalls de xocolata blanca. Soc un geni!

—Recorda'm que no et compri una xocolatina mai més!

—Vols una altra oferta especial?

—Què tens, ara? —va preguntar en Ben en to cansat.

—Tinc unes quantes disfresses que em van sobrar de Halloween!

—No, gràcies, Raj.

—Ben, no has tingut sempre la il·lusió de disfressar-te de princeseta?

—NO! —va respondre el noi amb fermesa.

—Oh! Doncs si no, què et sembla de llagosta?

Efectivament, en Raj tenia una disfressa de gran llagosta vermella per vendre.

—Curiosament, no! —va contestar en Ben.

—Compra nou disfresses de llagosta i emporta't de franc la que fa deu!

—Adeu, Raj!

—Adeu! —va dir el quiosquer—. Acabes de deixar perdre el gran negoci del segle!

DING!

4

UNA BÚSTIA GALOPANT

A fora de la botiga, just al costat del Reliant Robin vermell d'en Raj (una carraca que ell mateix havia batejat com el BÒLIT D'EN RAJ), en Ben va veure una cosa estranya. Hi havia una bústia al mig del carrer. El que trobava estrany era que estava segur que no era allà quan havia entrat a la botiga. De totes maneres, ho va deixar córrer —les bústies no apareixen com si res— i va enfilar el camí cap a casa. Tot i així, quan es va girar, va estar segur que la bústia s'havia mogut. En Ben va reprendre el pas i llavors es va girar de cop. La bústia l'estava seguint. En Ben es va posar a córrer. Quan va mirar enrere, va veure que la bústia també corria! L'estava perseguint una bústia galopant!

Va abaixar la mirada i va veure un parell de sabates marrons superpolides que sortien de sota la bústia. Havia vist aquelles sabates en algun lloc... Era el senyor Parker! El veí tafaner l'estava seguint!

En Ben no era gaire ràpid corrent, i acostumava a fer caminant les curses de camp a través de l'escola (sovint creuava la línia d'arribada l'endemà). No obstant això, amb una mica d'esforç extra, va descobrir que podia trotar més de pressa que un jubilat disfressat de bústia. En Ben va córrer tan ràpid com va poder. Va fer drecera pel mig del parc i va anar com una fletxa cap a la zona de jocs infantils. Era fosc i el guarda ja tancava el recinte.

—EL PARC ESTÀ TANCAT! —va cridar rere en Ben, però el noi va continuar corrent.

La bústia el seguia de prop.

—AIXÒ TAMBÉ HO DIC PER TU, BÚSTIA!

—SOC UN VIGILANT VEÏNAL D'INCÒGNIT! NO EM DESCOBREIXI, ARA! —va cridar una veu des de l'interior de la bústia de cartró.

En Ben va saltar per sobre la tanca i va entrar al parc infantil. La bústia va rodolar darrere seu.

BRUUUM!

En un intent desesperat per fugir de les urpes de la bústia, en Ben es va gronxar al gronxador, va baixar per un tobogan i va grimpar per una torre d'escalar. Per sort seva, el senyor Parker no s'hi veia gaire, a través de la ranura. La bústia va anar TRONTOLLANT en la foscor fins que es va estavellar contra la torre d'escalar.

CLONC!

I va caure a terra.

El senyor Parker va quedar de panxa enlaire com un escarabat al revés i agitant les cames.

—AJUDA'M, RUC! SOCORS! —va sortir la veu cridant des de dins de la bústia—. ESTIC EN UNA MISSIÓ SUPERSECRETA!

—Tranquil, babau d'incògnit!

Amb penes i treballs, el guarda del parc va ajudar la bústia a posar-se dreta. En Ben va riure entre dents abans de fugir a través d'una bardissa.

CRUIXIT!

Ara en Ben semblava una bardissa tot ell. Se li havien enganxat un munt de branquillons i fulles, però va continuar corrent.

Les seves cames corrien, el seu cor corria. La seva ment corria. Malgrat les seves excentricitats, el senyor Parker tenia raó. El robatori de la màscara de Tutankamon tenia tots els trets distintius del **GAT NEGRE**.

Un robatori audaç en un edifici amb molta seguretat.

Un cop perpetrat a mitja nit.

Una figura vestida de negre de cap a peus.

Un robatori d'un objecte superfamós i increïblement valuós.

Una pista amb lletres de l'**SCRABBLE**.

A més, i potser el més important, semblava un robatori fet senzillament per viure una aventura.

Perquè, a veure, la màscara de Tutankamon no és un objecte que després puguis vendre. Qui compraria una cosa tan famosa que, a més, tothom sabria que és robada? O sigui, que no la podries exposar ni la podries vendre. En cas de fer-ho, et detindrien i et tancarien a la presó. Per sempre més!

L'àvia havia dit a en Ben que només robava joies per pura emoció. No n'havia venut mai cap. Però l'àvia feia un any que era morta i en Ben realment va estar arreglant el vàter ahir al vespre. Si ell hagués robat la màscara de Tutankamon, se'n recordaria!

Malgrat tot, això no el deixava lliure de sospita. El senyor Parker estava convençut que en Ben era al darrere del robatori. El noi tenia por que, si no trobava el veritable lladre, acabessin donant-li la culpa a ell! Potser al final el senyor Parker veuria acomplert el seu desig de posar en Ben entre reixes!

Quan ja es pensava que les coses no podien anar pitjor, en Ben va veure llums i va sentir música que venia de dins de casa. Això només podia significar una cosa: la mare i el pare segur que estaven assajant un altre pas de **ball de saló**...

HORROR! HORROR!

En Ben es va girar i no va veure que el seguís ningú, però per despistar el senyor Parker es va esquitllar pel carreró lateral i es va enfilar per la paret. Després va passar pel jardí dels veïns, saltant per sobre les bardisses, fins que va arribar al seu. A fora tot era fosc, però a dintre la casa estava il·luminada amb una bola de miralls que reflectia llums de colors. El tema del programa de televisió preferit dels seus pares, **SENZILLAMENT ESTRELLES DEL BALL**, sonava tan fort que la casa tremolava.

TARARÀ!

En Ben va enganxar la cara contra el vidre de la porta corredissa. Va mirar cap al menjador. La mare i el pare duien els vestits de ball de conjunt. La mare, un de festa llarg fins a terra de seda morada amb lluentons. El pare, un conjunt de pantalons i camisa ajustats, amb faixa inclosa, de seda morada amb lluentons. Potser anaven vestits com ballarins professionals, però la veritat era que els Herbert eren tot al contrari. L'única cosa que sabien fer era llançar-se l'un a l'altre per la sala d'estar.

CRAC!

La butaca va caure de costat.

BANG!

La tauleta de centre es va bolcar.

FLOP!

El llum de peu va acabar de cap per avall.

Mentre en Ben s'ho mirava ATERRIT, els seus pares van iniciar un pas de ball que semblava destinat al DESASTRE!

La mare va llançar el pare en l'aire agafant-lo pels turmells i, tot seguit, va començar a fer-li donar voltes per la sala d'estar. El problema era que el feia girar massa ràpid!

FIUUU!

El pare només era una taca *BORROSA*!

I semblava que a la mare, amb les seves ungles postisses llarguíssimes, se li havia d'escapar en qualsevol moment.

En Ben va començar a picar al vidre de la porta i va cridar:

—PROU!

—AAAH! —va xisclar la mare. Es va espantar tant quan va veure un arbust que parlava a fora enmig de la foscor que, sense voler, va deixar anar el turmell del pare!

ZIIIS!

—UAAAUUU! —va cridar el pare mentre volava per l'aire.

ZAAAS!

5

EL GRAN ÍDOL

Des de l'altra banda del vidre, en Ben va veure impotent com el pare donava voltes a la sala d'estar com un disc volador gegant de color morat.

FIUUU!

Va aterrar de bocaterrosa al sofà.

PATAM!

La força de l'impacte va fer bolcar el sofà, i se'l va endur a ell, de passada.

PLONC!

Just en el moment en què el tema de **SENZILLAMENT ESTRELLES DEL BALL** acabava amb un fort TARARÀ!

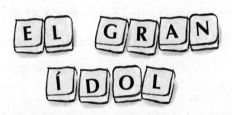

La mare va obrir la porta del jardí i en Ben va entrar a dins.

—Oh, Ben! No t'havia vist! Com és que vas vestit de bardissa?

—Tots els nois guais van així!

—I què hi feies, aquí a fora a les fosques?

—Mmm... Res, només mirava com ballàveu —va mentir—. Està bé, el pare?

—Oh, no! He perdut una ungla! —va exclamar la mare, examinant la catifa—. Ajuda'm a buscar-la!

En Ben va veure l'ungla postissa llarga, morada i brillant al costat de la llar de foc.

—És aquí!

—Bon noi! —va dir ella mentre l'agafava i se la tornava a col·locar—. I m'has portat la **Revista dels Balls de Saló**? Surt el meu Flavio a la portada!

—Sí, mare! La tinc aquí! —va contestar en Ben, mentre la mare li prenia la revista de la mà i es mirava encisada la foto de la portada.

—Oooh, el meu bufó Flavi-oooh! —va balbucejar.

—Està bé, el pare?

—Sí, la mar de bé! És la desena vegada que cau, avui! Ha d'aprendre a no deixar anar els turmells de les meves mans.

—AAAUUUG! —es va sentir un gemec des de darrere el sofà.

En Ben va córrer cap allà.

—Pare? Estàs bé?

—El genoll! —va gemegar, clarament adolorit.

—Aquest genoll li ha causat un munt de problemes d'ençà que es va agenollar per proposar-me matrimoni. Fins i tot aquell dia el vaig haver d'ajudar a posar-se dret! —va dir la mare.

—El sofà m'ha caigut a sobre el genoll! Que algú m'ajudi a aixecar-me! Sisplau! —va suplicar el pare.

Entre la mare i en Ben, van aconseguir alçar-lo.

—OOOH! —va xisclar el pare quan va redreçar la cama.

—Què passa ara, Pete? —va preguntar la mare.

—Tinc el genoll destrossat, Linda! Necessito seure!

Com que totes les coses per seure estaven bolcades, la mare el va acompanyar fins a la tauleta de centre. El pare va fer per seure, però una de les potes de la tauleta se li va clavar al cul.

—AUUU! —va esgaripar—. EL CUL!

És clar, la tauleta estava de cap per avall.

En Ben va fer servir totes les seves forces per posar bé una butaca i després ajudar el pare a seure-hi.

—UFFF! —va exclamar el pare.

—Ai, senyor, per què em vaig casar amb tu i el teu genoll atrotinat? M'hauria d'haver casat amb en Flavio Flavioli quan en vaig tenir l'oportunitat! —va dir la mare.

En Flavio Flavioli era el més famós dels ballarins professionals de **SENZILLAMENT ESTRELLES DEL BALL**. Era el gran ídol de la mare. Estava obsessionada amb aquell ballarí italià, com la majoria de dones de la Gran Bretanya, i molts homes també. La mare tenia una col·lecció impressionant de records d'en Flavio Flavioli, probablement la més gran de tot el món.

A part de fotografies, pòsters i quadres del ballarí que adornaven les parets (havia tret totes les fotos d'en Ben per deixar espai a les del ballarí), la mare també tenia:

Un exemplar dedicat de l'autobiografia d'en Flavio, *El millor ballarí que el món ha vist mai* (malauradament dedicat: «Per a en Colin»)...

Un mitjó emmarcat que en Flavio va portar en el primer programa de **SENZILLAMENT ESTRELLES DEL BALL** (sense rentar)...

Una figureta d'acció d'en Flavio Flavioli fent un pas de ball (una mica mastegada)...

Una ampolla del perfum d'en Flavio, **ESSÈNCIA MASCULINA**...

Un pot amb la cera de l'orella d'en Flavio...

La tapa de vàter oficial de **SENZILLAMENT ESTRELLES DEL BALL**, amb una foto d'en Flavio...

Un programa de la gira de ball en solitari espectacular d'en Flavio, *Jo! Jo! Jo!*...

Un dels pèls de les aixelles d'en Flavio Flavioli que una fanàtica excessivament entusiasta li va arrencar...

Una vora de pizza amb les marques de les seves dents que va deixar al plat en un restaurant fa set anys...

I un tros d'ungla del peu d'en Flavio trobada al lavabo d'un hotel durant l'última gira de **SENZILLAMENT ESTRELLES DEL BALL**.

—No vas tenir mai ni una oportunitat amb en Flavio! —va exclamar el pare.

En Ben va assentir.

—El vas veure una vegada al concurs de ball d'en Ben! I només va ser per fer-li la respiració boca a boca després de quedar estabornit per una sabata de claqué que havia sortit volant!

—Vaig veure ben clar que li vaig agradar!

—Estava inconscient!

—Estabornit per la bellesa!

Sentir la mare parlant tota l'estona d'en Flavio avorria molt en Ben, o sigui que de seguida va canviar de tema.

—Us heu assabentat d'això del robatori de la màscara de Tutankamon?

—És clar que sí! —va respondre el pare—. Ha sortit a la tele!

—No paren de parlar d'això! —va afegir la mare—. Ho has de veure encara que no vulguis! Per què no compren una màscara nova ben maca per al rei aquest i deixen córrer el tema?

—Qui creieu que l'ha robat? —va preguntar en Ben.

El pare ho va pensar uns instants abans de respondre:

—Un lladre?

—Ja sé que ho ha fet un lladre, pare! Però qui?

—L'únic que sé és que és algú a qui ara li falten quatre lletres al seu joc de **SCRABBLE**! No podrà fer cap puntuació triple! Escolta, fes-me un favor, Ben, pots apujar-me el camal dels pantalons?

No era una cosa fàcil, perquè els pantalons de setí morat eren tan estrets que semblaven pintats a les cames del pare. Però, com si enrosqués el tub de la pasta de dents per acabar-lo d'escurar, en Ben finalment va descobrir la cama del pare.

—AAAUUU! —va esgaripar el pare quan el plec dels pantalons va passar per sobre del genoll inflat i boterut com un tomàquet.

—Oooh, el meu reiet! És horrible —va dir la mare.

—No podré ballar la setmana que ve al Royal Albert Hall! —va gemegar el pare, i tot seguit va posar-se a plorar desconsoladament—: UÀÀÀ! UÀÀÀ! UÀÀÀ!

—De què va això del Royal Albert Hall? —va preguntar en Ben. Es referia a un dels teatres més famosos de Londres, on feien espectacles les superestrelles més grans del món. No era precisament un lloc on esperaria veure mai els seus pares actuant.

—Et volíem fer una sorpresa! —va dir la mare—. Com que sabem que t'agraden tant els **balls de saló**...

En Ben li va seguir el corrent tan bé com va poder.

—Ah, sí. M'encanten. Gairebé tant com la lampisteria.

—La lampisteria és un somni impossible, noi —va dir el pare—. Necessites alguna cosa adequada, una cosa de què et puguis refiar.

—Com els balls de saló! —va afegir la mare—. En fi, com a regal de Nadal, aquest any t'hem comprat una entrada a primera fila perquè ens vegis, a mi i al teu pare, participant en un campionat de balls de saló! Al Royal Albert Hall! Davant de *la reina*!

En Ben va quedar en xoc. Com coi s'havien classificat el pare i la mare per a un campionat de **balls de saló**? La cosa més agradable que podies dir del seu ball és que era «entusiasta».

—No sé per què has quedat tan garratibat, Benjamin! —va dir la mare.

Sempre li deia Benjamin, quan es posava de mala lluna.

—Bé, és que, ja saps... —va començar.

—No! No ho sé!

El pare va mirar la mare.

—Home, Linda, vas mentir una mica mica en el formulari d'inscripció.

—Potser vaig escriure que hem guanyat alguns trofeus de **balls de saló** que no tenim.

—És que no n'heu guanyat mai cap! —va replicar en Ben.

—No, encara no.

—I llavors em dius a mi que no es poden dir mentides!

—Bé, és que està malament si menteixen els nens, però no passa res si ho fan els adults.

El pare hi va intervenir.

—La teva mare va dir que érem una parella de ball molt famosa a les illes Hèbrides Exteriors.

—Les illes Hèbrides? —va exclamar en Ben—. Però si no heu estat mai a Escòcia, i encara menys a les illes Hèbrides!

—Va dir que érem professionals del ball al **SENZILLAMENT ESTRELLES DEL BALL** de les illes Hèbrides Exteriors!

—Allà també el fan? —va preguntar en Ben.

—No! —va respondre la mare—. Però aquesta és la gràcia! No ho poden comprovar!

El pare va somriure mentre assentia. En Ben va sospirar. Els seus pares estaven SONATS!

—Bé, jo no em penso pas perdre el meu gran moment davant de *Sa Majestat la reina*! —va dir la mare.

—Em sap greu, Linda, però t'hi hauràs de conformar —li va etzibar el pare—. El meu genoll no està per a balls.

A la mare se li van omplir els ulls de llàgrimes.

—Ho sento, mare —va dir en Ben, agafant-li la mà—. Suposo que ja és massa tard per trobar una altra parella de ball, oi?

—Mmm. Potser encara no és MASSA tard —va contestar, clavant la mirada en en Ben.

El noi es va girar cap al pare. El pare també el mirava fixament.

—No vols pas dir... —va balbucejar en Ben—. JO?

El pare i la mare van assentir.

—NOOOOOOOOOOOOOOOOOOOOOOOO
OOOOOOOOOOOOOOOOOOOOOOOOOO
OOOOOOOOOOOOOOOOOOOOOOO
OOO!!! —va cridar en Ben.

6

CAIXA DE GALETES

—És impossible que mai mai mai a la vida torni a ballar! —va cridar en Ben.

—Ni tan sols amb la teva mare? —va suplicar la mare.

—Especialment no amb la meva mare! Com si el **ball de saló** no fos prou estrany, això ho fa mil milions de vegades més estrany!

—Et diré què és el més superhiperestrany,* Benjamin: un noi de la teva edat que es passa tota la nit arreglant la canonada del vàter!

* Continuem amb les paraules inventades de l'**univers Walliams**.

—Estava embussat!

—No diguis paraulotes així davant de la teva mare! —va cridar el pare.

—No és cap paraulota! A veure, mare, és absolutament impossible que em posi a fer **balls de saló** amb tu davant de *la reina*!

La mare es va girar per mirar per la finestra.

—Estàs bé, mare?

—És que m'ha entrat una cosa a l'ull, no és res —va contestar, acompanyant-ho amb un sanglot fals—. UÀÀÀ! UÀÀÀ! UÀÀÀ!

En Ben va mirar el pare, que semblava encara més perdut que ell per veure què havien de fer.

—Bona nit! —va dir en Ben, i va sortir escopetejat per la porta i va pujar les escales cap a la seva habitació.

Va encendre el llum.

CLIC!

L'habitació d'en Ben estava plena de records de l'àvia.

Hi havia un parell de fotografies emmarcades d'ella: una d'en Ben i l'àvia junts i una altra en blanc i negre de l'àvia tota glamurosa quan era jove. Era un bon recordatori que la gent gran no sempre ha sigut gran. Han viscut un munt d'aventures abans que tu naixessis.

En un prestatge guardava unes quantes llaunes de sopa de col de l'àvia. En Ben no tenia cap intenció de menjar-se la sopa, no n'hi agradava el gust amargant. Però només de mirar les llaunes se li dibuixava un somriure. Sopa de col era el que menjava sempre que anava a casa de l'àvia.

A sota el llit, en Ben hi tenia la més valuosa de les possessions de l'àvia: la caixa de galetes del Jubileu de plata on amagava les joies. En Ben l'havia rescatat de la botiga de segona mà a canvi de desembussar-los el vàter. Descobrir aquella caixa va ser l'inici de l'aventura. En Ben pensava que algun dia, si tenia la sort de ser avi, posaria unes quantes joies en aquella caixa perquè les trobessin els seus nets, i així emprendrien una nova aventura.

Quan en Ben va passar per davant de la finestra, una ombra li va cridar l'atenció. Va mirar a fora. Alguna cosa es movia en una de les teulades del davant.

En Ben es va ajupir i, arrossegant-se de genolls, va tornar cap a la porta per apagar el llum.

CLIC!

Ara ja no el podien veure des de fora. Va agafar un tros de canonada prima a la qual havia encastat una lupa en un dels extrems per fer de telescopi. Mig amagat en la foscor, va posar l'ull a la canonada i va examinar els teulats de l'altra banda.

—El **gat** **negre**! —va xiuxiuejar en Ben.

Era el mateix **gat** **negre** que el noi havia vist al cementiri. Ho sabia per la manera com es movia: com una pantera. Es passejava per sobre de les teulades enfarinades de neu. Sens dubte no era pas un gat poruc, perquè saltava d'una teulada a l'altra.

En Ben va apuntar el telescopi cap a la cara de l'animal. El gat es va girar per mirar-lo, va semblar que somreia i després va fer un altre salt intrèpid i va desaparèixer en la foscor.

7

EL NOI MÉS ENROTLLAT DEL MÓN

—Qui ho pot haver fet, això? —va dir el pare des de la taula de la cuina, l'endemà al matí, mentre llegia el diari tot esmorzant. Duia el seu uniforme de guarda de seguretat, però tenia el camal dels pantalons arremangat i una bossa de pèsols congelats a sobre del genoll accidentat. La mare seia al seu costat i llegia la **Revista dels Balls de Saló**.

—Fer què? —va preguntar en Ben, assegut a l'altre costat, mentre s'untava el pa torrat amb melmelada.

—Mira, fill.

La notícia era tan IMPRESSIONANT que ocupava tota la PORTADA!

The World News

ROBATORI DE LA COPA DEL MÓN!

En un cop sense precedents, ahir a la nit es va produir el robatori de la Copa del Món de la FIFA. El trofeu d'or, de valor incalculable i mundialment famós, representa dues figures que sostenen el globus terraqüi. Estava exposat a l'estadi de Wembley, en el seu recorregut per diferents nacions abans del pròxim torneig. El trofeu va ser robat a mitja nit per un individu vestit de negre de cap a peus. Igual que amb l'espectacular robatori de la màscara funerària del faraó de l'antic Egipte Tutankamon, el lladre va deixar una pista de la seva identitat. Aquesta vegada, sobre el pedestal on hi havia exposada la Copa del Món, hi va posar aquesta onomatopeia formada amb lletres de l'Scrabble: PRRR. Segons la policia, tot apunta que es tracta del mateix lladre que va robar la màscara funerària egípcia. Tanmateix, fins ara no en tenen cap pista. Han fet una crida perquè qualsevol persona que sàpiga alguna cosa sobre el crim es presenti a la comissaria.

En Ben es va empassar saliva.

Ell havia estat tota la nit arraulit al LLIT.

Ni tan sols li agradava el FUTBOL.

No tenia CAP interès en la **COPA DEL MÓN**.

Però el senyor Parker segur que en donaria la CULPA a en Ben.

Per tant, havia d'investigar una mica. Si no, el noi es trobaria tancat a la presó per un delicte que no havia comès!

—La **COPA DEL MÓN**! La cosa més bonica que s'ha vist mai! —va somicar el pare, eixugant-se els ulls amb la màniga.

—No —el va corregir la mare, sense alçar la vista de la **Revista dels Balls de Saló**—. La cosa més bonica que s'ha vist mai és la cara d'en Flavio!

—No tornis a començar amb aquest... —va mussitar el pare.

—Ai, fixa't! Aquí diu que presentarà el campionat de **balls de saló** a l'Albert Hall! Ben! Sisplau! He de participar-hi! I no puc fer-ho sola! Sisplau, sisplau, sisplau, sigues la meva parella!

La mare es va posar de genolls per suplicar-l'hi.

En Ben va mirar el pare buscant ajuda, però ell es va amagar darrere del diari.

—Hi he estat pensant molt, en aquest tema —va començar en Ben.

—SÍ? —va exclamar la mare, expectant.

—I la resposta continua sent que NO!

La mare va somicar:

—Però per què, Ben, per què?

Hi havia un BILIÓ de raons, i ara no tenia temps d'enumerar-les totes. En comptes d'això, en Ben va fer una queixalada al pa.

—Ho sento, ara m'he d'afanyar —va murmurar, gairebé sense vocalitzar de tan plena que tenia la boca.

—Què has dit? No t'he entès. On vas, ara? —va preguntar la mare.

—MARXO! —va exclamar en Ben, escampant engrunes pertot arreu.

XAF! XOF! XUF!

Es va aixecar de taula.

—Ben! Contesta'm! On vas? —va insistir la mare.

El noi va fer una altra queixalada tot i tenir la boca plena. Ara podia dir qualsevol cosa i seria impossible que ningú l'entengués, o sigui que va balbucejar el primer que li va sortir.

—Mnuma nudflumpf flipi-flopi ximbalou grupapong!

El pare i la mare es van mirar el noi ben astorats.

—Mana'm? —va preguntar el pare.

—Bé, no arribis tard per berenar! —va afegir la mare.

En Ben va sortir escopetejat de la cuina i va anar de dret al garatge, on l'esperava un vehicle força especial.

Es tractava de l'escúter de mobilitat reduïda de l'àvia, que l'havia deixat d'herència a en Ben. Fins ara no li havien permès fer-lo servir amb l'excusa que només tenia dotze anys, però en Ben era conscient que això era una EMERGÈNCIA. Si demanava permís als pares, li dirien que no. Per tant, en Ben va deduir que era millor no preguntar-los-ho. MIRA QUE SIMPLE!

Al llarg de l'any anterior, el noi havia afegit a l'escúter algunes peces i certs suplements per ferlo... **RÀPID!**

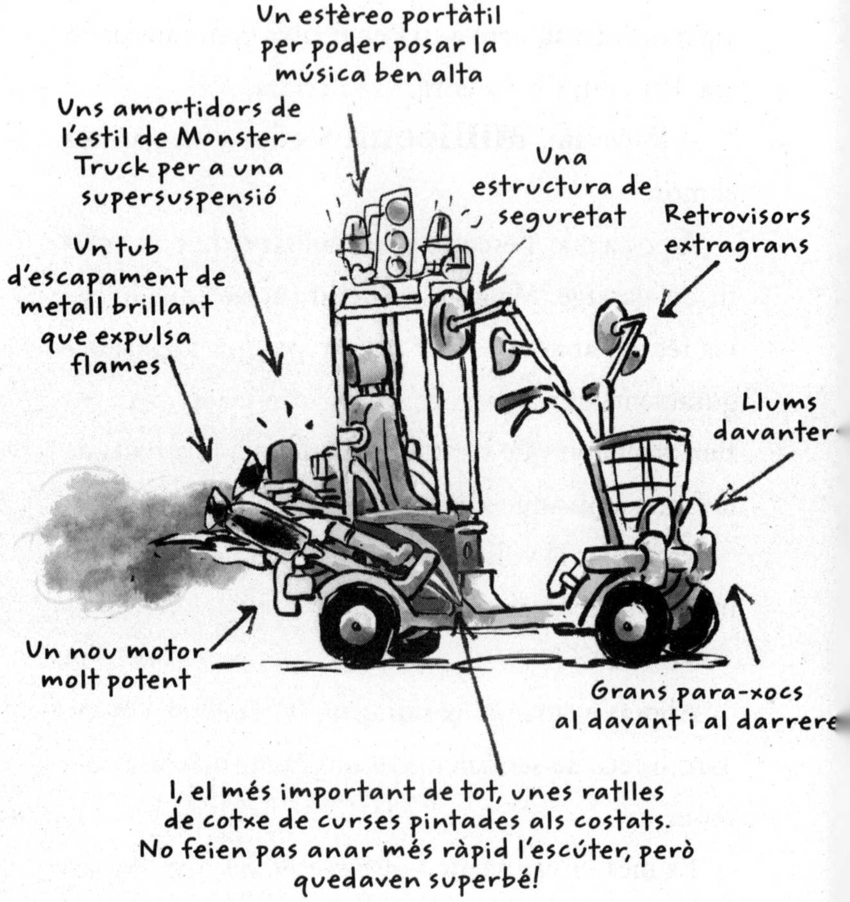

L'únic problema era que l'àvia havia batejat l'escúter amb el nom de **Millicent**. Un nom gens escaient per a aquella bèstia de màquina en què l'havia transformat, però a en Ben li sabia greu canviar-lo ara. Per tant, s'hi va enfilar i va cridar:

—Endavant, **Millicent**! Sortim a menjar-nos el món!

A poc a poc, l'escúter de mobilitat reduïda va sortir del garatge. Malgrat les modificacions que hi havia fet, no anava pas gaire més ràpid que abans! Segurament aniria més de pressa caminant, però en Ben va pensar que seria l'enveja de tota la canalla de la ciutat amb aquell SUPERESCÚTER!

Va apujar el volum de la música hip-hop i va començar a recórrer els carrers.

FIUUU!

Alguns vianants es miraven en Ben estranyats. Tant li feia. Se sentia com el noi més enrotllat del món.

És més, li van venir a la ment els records feliços del viatge amb l'àvia durant la nit més emocionant de la seva vida. Se li van negar els ulls, tot i que no sabia si era pels records o per culpa del vent.

La destinació d'en Ben era la biblioteca del barri. Allà trobaria llibres sobre el Museu Britànic i l'estadi de Wembley. Si podia estudiar aquells edificis tal com ho havia fet amb la Torre de Londres, potser podria esbrinar com hi havia entrat el lladre. I això podria donar-li una pista sobre la seva identitat.

Mentrestant, a mesura que en Ben avançava sobre l'asfalt, comprovava els retrovisors per veure si algú el seguia. Es va fixar particularment en les bústies, per si de cas se'n movia alguna.

No el va seguir ningú.

En Ben no va trigar gaire a arribar a la biblioteca. Va fer un gir brusc i una derrapada.

NYIIIIIIC!

La **Millicent** va fer unes quantes sacsejades fins que es va aturar en sec, DAVANT DE LA PORTA de la biblioteca. Aquest era un dels grans avantatges d'anar amb un escúter de mobilitat reduïda: podies aparcar on volguessis!

En Ben va empènyer la porta doble de la biblioteca i hi va entrar.

S'havia de posar a treballar!

8

UNA PERSECUCIÓ A PAS DE TORTUGA

—Perdoni —va dir en Ben a la bibliotecària que hi havia darrere el taulell.

—Xxt! —va fer la dona, mentre assenyalava un rètol que deia: **«AIXÒ ÉS UNA BIBLIOTECA. SISPLAU, FEU SILENCI!»**.

La dona rabiüda duia unes ulleres de mitja lluna que se li aguantaven al centre del nas llarg. Va mirar el noi a través dels vidres.

—Perdoni! —va xiuxiuejar en Ben—. On podria trobar llibres il·lustrats sobre edificis famosos com el Museu Britànic i l'estadi de Wembley, sisplau?

—Secció d'arquitectura. A l'espai de no-ficció —va contestar la dona, assenyalant cap al lloc indicat.

—Gràcies —va contestar en Ben, i es va girar per anar cap allà.

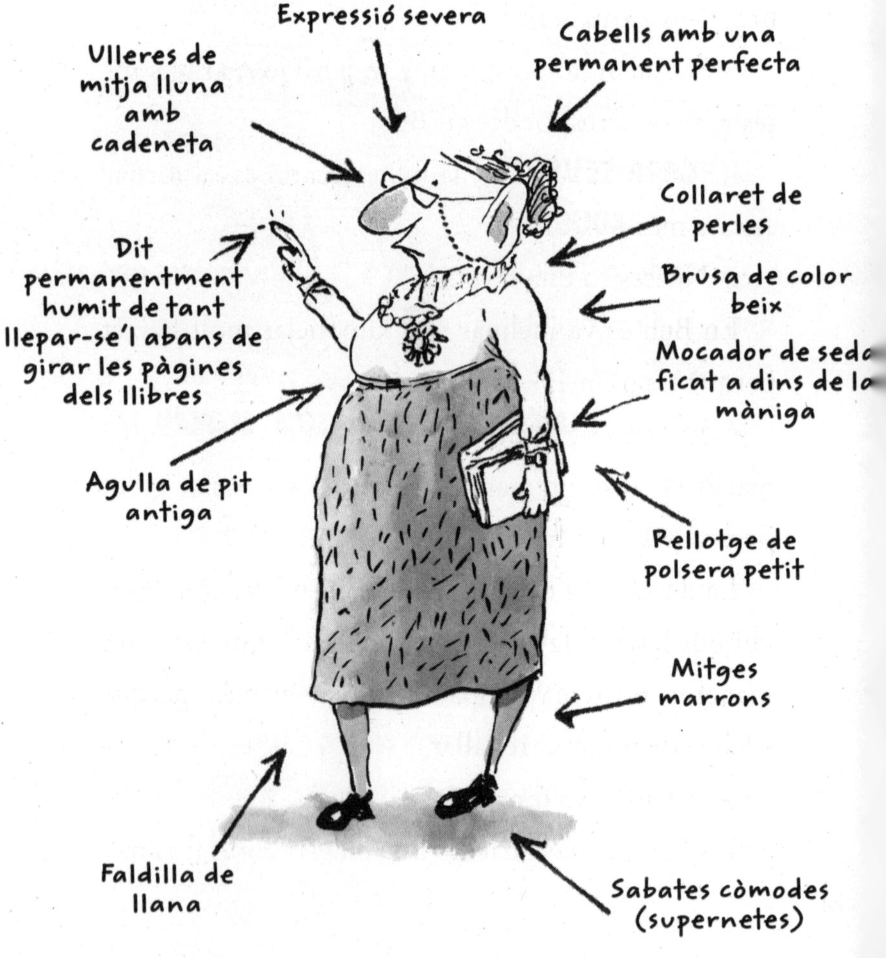

De sobte, a la bibliotecària li va venir un pensament al cap i va fer cara de desconfiada. Els dos edificis que acabava d'esmentar en Ben havien sortit a les notícies.

—Et puc preguntar per què els vols, aquests llibres? —va xiuxiuejar.

—Sí que m'ho pot preguntar, però jo no l'hi contestaré! —va respondre en Ben.

La **CARA SEVERA** de la bibliotecària es va tornar encara més **ADUSTA**.

—Necessito una resposta!

En Ben es va inclinar i va xiuxiuejar molt baixet perquè ningú més el pogués sentir:

—Estic en una missió supersecreta i tota la informació és absolutament necessària. I em sap greu, però vostè no n'ha de fer res!

La dona va entretancar els ulls. En Ben estava segur que li recordava algú, però no sabia qui. De totes maneres, no tenia temps de rumiar-hi més, perquè s'havia de posar a treballar.

—Adeu! —va dir, i se'n va anar.

En Ben va examinar els lloms dels llibres fins que

va trobar els que buscava. N'hi havia un de titulat **Museus de Londres**, i l'altre, **ESTADIS DEL MÓN**. Els va treure de la prestatgeria. Va seure a terra i en va fullejar les pàgines buscant els plànols dels dos edificis. Seria una lectura interessant.

El Museu Britànic era un edifici antic i bonic amb columnes d'estil grec a la façana. L'únic punt feble exterior que en Ben hi va detectar eren les finestres de la Sala de Lectura circular, l'enorme biblioteca amb sostre de cúpula del museu. Potser una d'aquelles finestres es podia forçar a la nit de manera inadvertida, perquè estaven molt amunt. Ara bé, pujar per fora i baixar per dintre semblava impossible, especialment si s'anava carregat amb la màscara d'or massís de Tutankamon, que devia pesar una tona.

Hi havia un peu de pàgina referent a uns túnels que s'havien construït sota terra, a Londres, durant la Segona Guerra Mundial, per refugiar-se dels bombardejos nazis. Els túnels connectaven alguns edificis importants com el Museu Britànic, el Ministeri de Defensa, el Parlament, el número 10 de Downing

Street (la casa del primer ministre) i el palau de Buckingham (la casa de la família reial). Tanmateix, es creia que tots aquells túnels havien quedat impracticables des de feia dècades.

Tot seguit, en Ben va examinar l'estadi de Wembley. L'única via possible per irrompre-hi de nit li va semblar que era sobrevolar l'estadi i aterrar al mig del camp de futbol! Però com es podia fer això passant desapercebut? Els avions i els helicòpters feien molt de soroll. No tenia ni cap ni peus, això. Ara bé, hi havia un sistema d'aspersors d'alta tecnologia sota el terreny de joc. Potser un llauner expert podia trobar la manera d'entrar-hi des de sota terra.

Mentre rumiava tot això, en Ben va veure un parell d'**ulls vermells** que l'espiaven des d'una prestatgeria. Uns ulls vermells emmarcats en unes ulleres de mitja lluna. Just quan va clavar la vista en els ulls de la bibliotecària tafanera, la dona es va girar i va fer veure que ordenava els llibres.

En Ben va pensar que potser valia més endur-se els dos volums de la biblioteca, per poder-los estu-

diar en pau. Per tant, va anar cap al taulell, amb l'esperança que l'atengués una altra bibliotecària, però no, la dona rabiüda es va afanyar per interceptar-lo.

—Només aquests dos, oi? —va xiuxiuejar.

—Sí. Gràcies!

La bibliotecària es va quedar mirant els llibres uns instants i, després, va fitar el noi amb cara de desconfiada.

—Un moment, sisplau. He de parlar amb l'encarregada.

Ara va ser en Ben el que va desconfiar de la dona. Això no li havia passat mai les vegades que havia anat a buscar llibres sobre lampisteria a la biblioteca.

—Per què? —va preguntar.

—Per comprovar que els llibres no els ha reservat ningú més.

Dit això, li va prendre els dos volums i els va deixar sobre el taulell, fora del seu abast. Tot seguit, va anar cap al telèfon. Era antiquat com ella mateixa, i la dona no va treure els ulls de sobre en Ben mentre marcava el número.

La bibliotecària es va tapar la boca perquè en Ben no la pogués sentir, cosa que el noi va trobar molt estranya.

Mentre ella era al telèfon, en Ben va veure una dona encara més vella i amb posat més sever que aquesta passant per darrere del taulell. A la insígnia que duia penjada al pit posava:

SRA. MOST: BIBLIOTECÀRIA EN CAP

La bibliotecària de les ulleres de mitja lluna no podia estar parlant amb l'encarregada! Li havia dit una mentida!

La bibliotecària no havia vist l'encarregada, i quan va penjar, va xiuxiuejar:

—L'encarregada m'ha dit que t'esperis un moment.

—Que estrany —va comentar en Ben.

—El què és estrany?

—Doncs que acabo de veure l'encarregada passant per darrere seu.

Ara la bibliotecària va fer tan **MALA CARA** que en Ben es va pensar que li agafaria alguna cosa. Llavors es va fixar en la seva insígnia:

És clar, era ben igual que el senyor Parker! Bé, no exactament igual, però s'hi assemblava molt. Sobretot aquell nas tan gros. Potser era la germana del veí tafaner?

—Sisplau, dona'm la targeta de la biblioteca per poder comprovar la teva fitxa —va dir la senyora Parker.

—No! —li va etzibar en Ben. Va fer un salt, va agafar els dos llibres i va córrer cap a la porta de sortida.

—ENCARA NO ELS HE REGISTRAT! —va cridar la senyora Parker. La seva veu va ressonar per tota la biblioteca.

—Xxt! —va fer en Ben, assenyalant el rètol que deia: **«AIXÒ ÉS UNA BIBLIOTECA. SISPLAU, FEU SILENCI!»**.

Va sortir escopetejat per la porta, amb els llibres entaforats sota el braç. Va mirar un moment enrere i va veure que la senyora Parker el perseguia.

En Ben va llançar els llibres a la cistella de la **Millicent** i va arrencar a tota pastilla!

NYIIIC!

Va donar una ullada darrere seu i va veure que la senyora Parker pujava al seu escúter de mobilitat reduïda per perseguir-lo.

NYIIIC!

Allò era una PERSECUCIÓ A PAS DE TORTUGA.

9

PIRULETA DE FRUITES GEGANT

—Vinga, **Millicent**! Ànims! Tu pots! —cridava en Ben, mentre donava copets a la carrosseria de l'escúter amb l'esperança que anés més ràpid.

NYIIIC!

Ara, en Ben i la senyora Parker corrien per la vorera. Tots els venedors de les parades s'havien d'apartar.

—VIGILEU!

—SOCORS!

—ATUREU AQUEST NOI!

Mentrestant, la senyora Parker anava escurçant distàncies. Donava cops a la part posterior del seu escúter amb un llibre gruixut.

PAM! PAM! PAM!

—Vinga, Virgínia! —va cridar, i la Virgínia va accelerar la marxa.

RUM-RUUUUM!

«És possible que tots els avis posin noms als seus escúters de mobilitat reduïda com si fossin un cavall?», va pensar en Ben. Però ara no tenia temps de rumiar-hi, perquè la senyora Parker ja s'havia col·locat al seu costat.

—T'HAS FICAT EN UN BON PROBLEMA, DIMONIET! —va cridar.

—Demà a primera hora li tornaré els llibres! L'hi prometo! —va respondre ell.

Mentre es girava un instant per respondre a la senyora Parker, no va veure què hi tenia un tros endavant: la parada d'una fruiteria amb tota la fruita i les verdures exposades a fora. En Ben s'hi va encastar de dret.

PATAM!

BARRABUM!

Va quedar **EMPASTIFAT** de cap a peus!

En Ben va quedar tot cobert de:

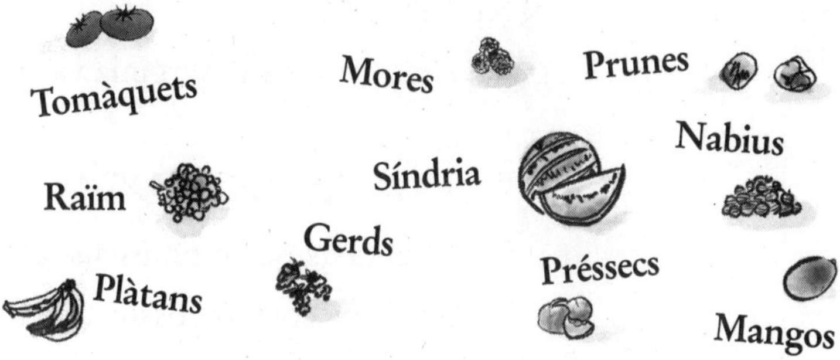

Semblava una piruleta de fruites gegant!

—EP! —va cridar el botiguer—. TORNA AQUÍ!

—Ho sento! —va contestar en Ben—. Ara no em puc parar!

CLUNC! CLONC! CLINC!

En Ben es va girar i va veure que la senyora Parker feia xocar el seu escúter contra el d'ell.

—Què està fent? —va preguntar en Ben.

—Carrega-te'l, Virgínia! —va cridar la senyora Parker, mentre tornava a esperonar el seu escúter amb un cop de llibre.

PAM!

Va girar el manillar bruscament cap a l'esquerra, cosa que va obligar en Ben a entrar en un carreró.

—HA! HA! —va riure la senyora Parker.

—Què és el que fa tanta gràcia?

—Estàs atrapat!

—No! En absolut!

En Ben sabia que hi havia un aparcament un tros endavant. Un cop allà es podria escapar!

Tanmateix, quan va accelerar per entrar a l'aparcament, va veure que hi havia el senyor Parker esperant-lo amb el seu tricicle!

En Ben es va aturar de cop.

NYIIIIIIC!

Va mirar a la dreta. Va mirar a l'esquerra. A tot el seu voltant hi havia un exèrcit de vellets. Almenys una dotzena. Tots amb diferents mitjans de transport.

Escúter de mobilitat reduïda

Caminador

Cadira de rodes elèctrica

Tricicle motoritzat

Kart

Caminador amb rodetes

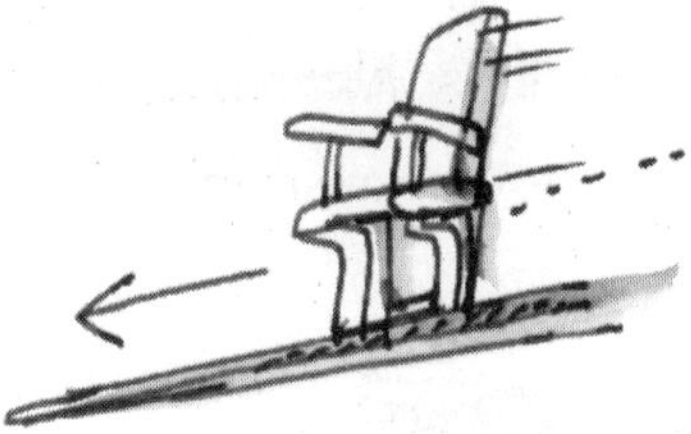

Cadira remuntadora especialment adaptada que es desplaça de costat en comptes de fer-ho amunt i avall

Banyera amb rodes

Pilota saltadora

Carro del supermercat

Butaca motoritzada

Burro

Els avis van encerclar en Ben.

El noi estava **atrapat!**

10

BLUF I REBLUF!

—Meu! O potser hauria de dir PRRR! —va dir el senyor Parker des del tricicle.

—Què diu? No sé de què em parla —va protestar en Ben.

—I tant que ho saps, Benjamin Herbert!

—Amb Ben n'hi ha prou —va contestar el noi—. Per cert, hola a tothom! Un dia fantàstic per reunir-se! —va dir a tot el grup.

A en Ben li queien bé els avis, i als avis els queia bé ell. Però aquella colla reunida a l'aparcament el miraven amb mala cara. Els devien haver dit que era el noi més malvat de la Terra.

—Veig que ja has conegut la meva germana, la senyora Parker —va continuar el senyor Parker, assenyalant la dona que bloquejava l'única sortida d'en Ben.

—Sip! —va respondre en Ben—. Hem congeniat de seguida!

—M'ha trucat des de la biblioteca.

—Ja m'ho he imaginat.

El senyor Parker va semblar molest perquè el noi sabia més que ell.

—M'ho ha dit tot sobre els llibres que et volies endur!

—També m'ho he imaginat, això!

—Uns llibres que et vinculen directament amb els crims.

—Puc dir una cosa?

—Pots parar d'interrompre'm, sisplau?

—Sip!

—Gràcies.

—Cap problema.

—CALLA!

—Entesos! —va contestar en Ben, i llavors va fer el gest de tancar-se els llavis amb una cremallera.

Alguns dels vellets van riure per sota el nas.

—Hi! Hi!

Això va fer enfadar el senyor Parker.

—Silenci! He reunit tots els membres del **grup de Vigilància Veïnal** per capturar-te. Benjamin Hilary Herbert, amb els poders que m'he atorgat jo mateix, procedeixo a dur a terme la teva detenció!

—La meva detenció? —va exclamar en Ben, encara assegut a l'escúter de l'àvia—. AIXÒ ÉS ABSURD!

—Perquè vas ser còmplice d'un robatori de joies! Encara fas servir el seu vehicle de fugida! I estic convençut que estàs al darrere d'aquests menyspreables crims! Si no, com expliques que hagis triat aquests llibres, que et relacionen directament amb els robatoris?

—I a més —va intervenir la senyora Parker—, el noi se'ls ha endut de la biblioteca sense haver-los registrat!

—**CARAM, CARAM, CARAM!** —va exclamar el cor de vellets. Allò sí que ho consideraven un DELICTE TERRIBLEMENT GREU.

En Ben va acotar el cap enganxifós de fruita, avergonyit.

—Què has de dir en la teva defensa, noi? —va preguntar el senyor Parker.

—Escolti'm, sisplau. Si hagués robat la màscara de Tutankamon i la **COPA DEL MÓN**, difícilment hauria anat a buscar aquests llibres a la biblioteca *després* dels robatoris, no li sembla? En tot cas, hi hauria anat abans!

Això va fer callar el senyor Parker uns instants.

—És veritat!

—Té raó!

—Què ha dit? —murmuraven alguns avis.

—Podria ser un BLUF! —va dir el senyor Parker, des del tricicle motoritzat.

—I tant.

—Un bluf!

—Un què, rei?

—BLUF!

—GUF?

—NO! BLUF!

—Ah, d'acord! —van tornar a murmurar els avis.

—No és cap bluf! —va replicar en Ben.

—Doncs un rebluf! —va intervenir la senyora Parker.

—Què vol dir això? —va preguntar el seu germà.

—No ho sé, però sona molt bé!

—Escoltin! —va dir en Ben—. No és un bluf, ni un rebluf, ni una ensarronada ni res per l'estil. He anat a buscar aquests llibres perquè estic intentant esbrinar qui ha comès els robatoris!

—Quina història més original!

—Bajanades!

—Ximpleries!

—Quina cosa més retorçada!

—Tanqueu-lo i llanceu la clau! —van cridar els avis.

—Calma, sisplau! —va ordenar el senyor Parker, i tothom va fer silenci—. A veure, noi, no vull problemes. Si ets tan amable d'acompanyar-me a la comissaria de policia més propera...

«La bòfia! —va pensar en Ben—. I si se'ls acut començar a furgar sobre aquella nit a la Torre de Londres?».

Llavors sí que podria acabar colgat de PROBLEMES!

—Sí, és clar —va mentir, abans de clavar el peu a l'accelerador.

FIUUU!

L'escúter **Millicent** va sortir volant.

BRUUUM!

—ATRAPEU-LO! —va cridar el senyor Parker.

En Ben va córrer per tot l'aparcament, però els vellets del **grup de Vigilància Veïnal** li van bloquejar les vies d'escapada.

—ESTÀS RODEJAT! —va cridar la senyora Parker—. RENDEIX-TE!

En Ben va tornar a pitjar l'accelerador i va donar gas.

BRUUUM!

Les rodes del davant de la **Millicent** es van aixecar de terra i es van enfilar sobre un cotxe esportiu italià superbaix que hi havia allà aparcat.

CLUNC!, van fer les rodes de l'escúter tot passant per sobre del cotxe.

CLUNC!, un altre cotxe.

CLUNC!, i un altre.

En Ben conduïa la **Millicent** amunt i avall per sobre de les carrosseries dels cotxes de l'aparcament.

—ATRAPEU-LO! —va tornar a cridar el senyor Parker. Va fer alçar la roda del davant del seu tricicle per perseguir el noi.

Tanmateix, el senyor Parker va triar el vehicle equivocat per enfilar-se, perquè hi havia el conductor a dins! Era en Raj, amb el seu atrotinat Reliant Robin vermell de tres rodes, amb la inscripció *EL BÒLIT D'EN RAJ* estampada al costat de la porta.

—Fuig, Ben, fuig! —va cridar en Raj, mentre s'allunyava amb el senyor Parker sobre la seva carrosseria.

—Raj! Ets el millor! Un milió de gràcies!

—PARA! —va cridar el senyor Parker. Va frenar de cop...

NYIIIIIC!

... mentre l'home sortia de l'aparcament enfilat dalt de la carrosseria del BÒLIT D'EN RAJ!

BRUMMM!

Els avis s'ho miraven incrèduls.

—NO US QUEDEU AQUÍ QUIETS! AJUDEU-ME! —va cridar el senyor Parker.

I tot el **grup de Vigilància Veïnal** va seguir el seu líder, que baixava carrer avall dalt del sostre del Reliant Robin d'en Raj mentre en Ben s'escapava!

En Ben va tornar a casa a tota velocitat i va amagar l'escúter de nou a dins del garatge.

—Moltíssimes gràcies, **Millicent**. Avui m'has fet sentir orgullós, a mi i a l'àvia! —va dir, mentre el posava a carregar—. I ara, recupera una mica d'energia!

En Ben va dir hola a la mare, que estava atrafegada retallant fotos de la **Revista dels balls de saló** i enganxant-les al seu ata-

peït àlbum de retalls d'en Flavio Flavioli. El pare era al supermercat, custodiant les llaunes de mongetes estofades amb la seva vida.

En Ben va anar directament a l'habitació. Un cop a dins, es va permetre deixar anar un gran sospir d'alleujament.

—UUUUUUFFFFFF! —Havia anat de ben poc...

Però just quan acabava de seure al llit, es va sentir:

DING! DONG!

Era el timbre de la porta. En Ben es va empassar saliva. Va deixar que obrís la mare, mentre ell espiava per la finestra de l'habitació per veure qui era.

Davant de casa hi havia un COTXE DE LA POLICIA aparcat!

En aquell instant, en Ben es va pensar que exploitaria de PÀNIC!

Va anar de puntetes fins a la porta de l'habitació i la va obrir una escletxa per poder escoltar.

—Senyora Herbert? —va dir una veu familiar a baix.

—Sí! —va contestar la mare, neguitosa.

—Soc l'agent de policia Fudge. Puc passar?

Es tracta del seu fill...

11

BIGOTI DIMINUT

En Ben ja el coneixia, aquell policia. L'agent Fudge havia aturat l'àvia i en Ben la nit que anaven amb la **Millicent** per l'autopista en direcció a Londres per robar les *joies de la Corona*. Entre tots dos el van enredar amb una excusa absurda per explicar per què duien posat l'equip de busseig i metres i metres de paper film. Li van dir que anaven a una reunió sota l'aigua de la **SOCIETAT D'AVALUACIÓ DEL PAPER FILM!** I resulta que per miracle en Fudge se'ls va creure!

L'amable agent va acabar portant aquella estranya parella de lladres de joies internacionals amb el seu cotxe patrulla fins a la Torre de Londres. Més tard, quan ja havien tornat a casa i el senyor Parker els va acusar d'haver robat les *joies de la Corona*, en Fudge va ser la seva coartada. Quan en Fudge va parlar en defensa seva, l'àvia i en Ben en van sortir impunes. Una nit de patrulla extraordinària de l'agent Fudge!

En Fudge era un home robust amb un bigoti diminut, que només servia per fer que la seva cara gran i rodona semblés encara més gran i rodona. Era ben bé el model de la policia moderna:

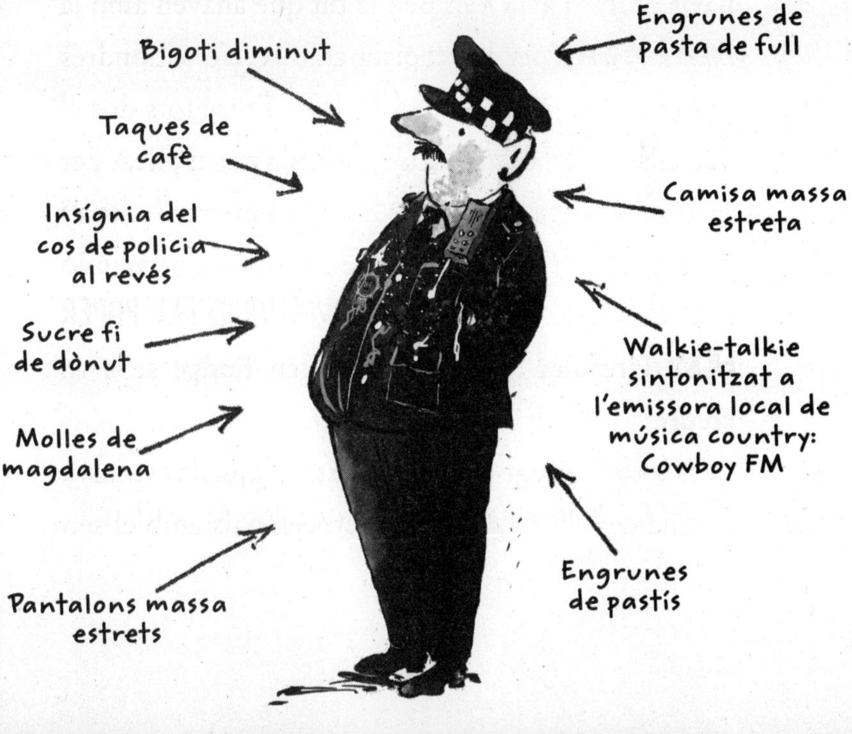

Mentre la mare feia entrar l'agent Fudge a la sala d'estar, en Ben va baixar les escales de puntetes per poder escoltar què deien.

—Un dels membres del **grup de Vigilància Veïnal** s'acaba de presentar a la comissaria per denunciar el seu fill.

—Qui? —va preguntar la mare.

—No l'hi puc dir.

—Era el senyor Parker?

—Sí.

—I ha denunciat en Ben? Per què?

—La llista de delictes és llarga, senyora.

—No m'ho puc creure! Si és molt bon noi!

—Això és el que diuen sempre!

—A veure, què ha fet?

—Endur-se no un, sinó dos llibres de la biblioteca sense haver-los registrat.

—Et poden tancar a la presó per això?

—Si no els tornes mai, mai de la vida, llavors potser sí, segurament.

—Oh, no.

—Ha sigut maleducat amb un grup de jubilats.

—De debò? El meu Ben? Però si s'hi entén la mar de bé, amb la gent gran, com el meu marit.

—I també ha conduït per sobre d'uns cotxes aparcats amb un escúter de mobilitat reduïda.

—Oh, la cosa va empitjorant! Em sap molt de greu. És horrible! Sap qui en té la culpa, d'això?

—La seva mare? —va preguntar l'agent Fudge.

—No! La mare soc jo!

—Ai, sí! És clar.

Des del seu amagatall, en Ben va reprimir una rialleta.

—La seva àvia! —va continuar la mare.

—Ah, sí?

—I tant! S'avenien molt, sap? I poc abans de morir, l'àvia va omplir el cap de pardals al noi.

—Caram.

Des de l'altra banda de la porta, en Ben es va empassar saliva.

GLUP!

—Sí! Li va deixar aquest escúter en herència, s'ho pot creure? Li vam dir que no el podria conduir fins que fos gran! No pateixi, agent Fudge! Li confiscaré les claus de l'escúter ara mateix!

—Sí, crec que serà el millor.

—Estic absolutament consternada! Vol prendre un te, agent Fudge? N'acabo de preparar.

—Sí, sisplau. No té pas galetes?

—És clar! Només faltaria! Quantes en vol?

—Oh! Només una...

—Perfecte.

—... un paquet.

—Unes Pim's van bé?

—Són les meves preferides!

Des de fora la porta de la sala d'estar, en Ben es va empassar la ràbia. Eren les seves galetes Pim's! Les seves preferides de tot l'univers! «No pots deixar que se les cruspeixi totes!». Es va fer un breu silenci quan la mare va desaparèixer a la cuina.

—Aquí ho tenim —va dir quan va tornar.

—Oooh! Gràcies —va contestar l'agent Fudge.

Tot seguit es van sentir sorolls de xarrups i mastegades.

ESLURP!

NYAM! NYAM!

ESLURP!

Després, un rot.

BURP!

—Ai, perdó!

—Perdonat! Hi ha alguna cosa més que m'hagi de dir, agent Fudge? Perquè em fa por que si hi ha més coses, se'm trencarà el cor!

La mare era sempre tan DRAMÀTICA!

—Sí, senyora. I ara ve el que és més greu.

—Més greu que passar amb un escúter per sobre d'uns cotxes aparcats?

—Em temo que sí.

—Sisplau, digui'm de què es tracta! L'hi suplico!

—El seu fill, en Benjamin Herbert, està acusat d'haver robat la màscara de Tutankamon...

Es va sentir el soroll de te que es vessava pel terra de la sala d'estar.

XOOOF!

—Nooo! Necessito una mica més de te per refer-me de l'ensurt! —va exclamar la mare.

—I la **COPA DEL MÓN**!

XOOOF!

Més te per terra.

—Ai, que l'he esquitxat, agent Fudge? —va preguntar la mare.

—No pateixi, només una goteta!

En Ben va espiar a través de l'escletxa de la porta. El policia només estava sent educat, perquè tenia esquitxos de te de cap a peus.

—Vostè creu que el meu Benjamin està al darrere d'aquests robatoris? —va preguntar la mare amb incredulitat.

—La policia no té cap pista, i s'ha presentat una acusació contra el seu fill, senyora. Ens ho hem de prendre molt seriosament.

—BENJAMIN! —va cridar la mare.

—Sí! —va respondre en Ben, intentant ofegar la veu perquè semblés que encara era a dalt, i no just darrere de la porta de la sala d'estar.

—BAIXA ARA MATEIX!

—Estic arreglant l'aixeta, mare, que degotava! —va mentir.

—L'aixeta es pot esperar! BAIXA IMMEDIATAMENT!

En Ben va picar amb els peus a terra per fer veure que baixava les escales.

CLOC! CLOC! CLOC!

Primer més fluixet i cada vegada més fort, fins que va obrir la porta d'una revolada, esbufegant.

—Què passa, mare? —va preguntar.

—Caram, caram, caram. Ens tornem a trobar, jovenet —va dir l'agent Fudge.

—Que ja us coneixíeu? —va preguntar la mare.

Tots els ulls es van girar cap a en Ben.

12

CASTIGAT!

—Benjamin! —va exclamar la mare—. Em sembla que m'has d'explicar unes quantes coses!

—Sobre què? —va preguntar en Ben, palplantat a l'entrada de la sala d'estar. L'agent Fudge i la seva mare el miraven amb mala cara!

—A veure, noi, hem rebut unes quantes queixes d'un membre del **grup de Vigilància Veïnal**, Secció Atrotinats —va començar el policia.

—De qui? —va preguntar en Ben.

—No estic autoritzat a dir-ho.

—El senyor Parker?

—Sí. Oh! No ho hauria d'haver dit. Bé, podria ser el senyor Parker o podria no ser-ho.

—Però és ell.

—Sí —va contestar l'agent Fudge, i tot seguit va clavar-se una palmellada al front.

CLAP!

—Què significa tot això de robar la màscara de Tutankamon i la **COPA DEL MÓN**? Si necessites diners, només cal que en demanis! —va dir la mare.

—No ho he pas robat jo! —va protestar en Ben.

—Bé, doncs el senyor Parker de **Vigilància Veïnal** creu que sí!

—Aquest home és un perill! M'ha acusat de tota mena de coses absurdes!

—Com ara què? —va preguntar la mare.

—De robar les *joies de la Corona* de la Torre de Londres! —va intervenir l'agent Fudge.

La mare va brandar el cap. No es podia creure el que sentia.

—Vas robar les *joies de la Corona*, Benjamin? —va preguntar, molt seriosa.

—NO! —va respondre ell—. És clar que no!

En Ben només mentia a mitges. Ell i l'àvia havien intentat robar-les, però quan els va enxampar la reina, van marxar d'allà amb les mans buides.

—Aquella va ser la primera vegada que vaig coincidir amb el seu fill, senyora —va explicar en Fudge—. Fa justament un any, si no ho recordo malament. Era ben entrada la nit i el noi havia sortit amb la seva àvia.

—Ho sabia! L'àvia sempre estava tramant alguna cosa o altra! Què feies a la nit rondant pel carrer amb l'àvia, Benjamin? —va preguntar la mare.

—Bé, eeeh, anàvem..., ja saps —va balbucejar en Ben.

—No! No ho sé!

—Anàveu a una reunió de la **SOCIETAT D'AVALUACIÓ DEL PAPER FILM** —va dir en Fudge.

—Ai, sí! Gràcies per recordar-m'ho! —va dir en Ben, intentant sonar complagut però sense sortir-se'n.

—Però si no t'agrada el paper film! —va exclamar la mare—. No t'ha agradat mai! Sempre vols que t'emboliqui el dinar amb paper de plata!

Els ulls de l'agent Fudge es van aprimar i el bigoti li va fer un tic nerviós.

—Ara no sé què creure'm!

—És clar que m'agrada el paper film! —va replicar en Ben—. El que passa és que els sandvitxos d'ou dur fan una mica de tuf i el paper de plata no deixa sortir la pudor!

—Com t'atreveixes a insultar els meus sandvitxos d'ou dur?!

—Potser hauríem de mantenir una conversa a la comissaria, Benjamin —va dir en Fudge.

La mare es va llançar als genolls del policia.

—Sisplau, no el detingui, agent Fudge! L'hi suplico! Em moriré de vergonya!

—Ara per ara, no tenim prou proves per detenir el seu fill.

—Ufff! —va exclamar en Ben.

—Però continuarem investigant.

—És clar. És la seva feina. Però ara mateix, agent Fudge, què creu que he de fer amb ell?

—Senyora, no perdi el noi de vista! —va declarar en Fudge, assenyalant en Ben.

—No pateixi per això, agent Fudge! —va contestar—. Benjamin Herbert, estàs completament

CASTIGAT!

13

SOSPITÓS NÚMERO U

—MAREEE! —va gemegar en Ben tan bon punt l'agent Fudge va haver marxat, enduent-se un paquet de galetes de mantega «pel camí».

—No em vinguis amb això de MARE! —li va etzibar ella—. No vull tornar a veure mai més un cotxe de la policia aparcat aquí a fora perquè ho vegin tots els veïns! Quina vergonya!

—No és just! No em castiguis. No he fet res mal fet.

—Endur-te llibres de la biblioteca sense registrar-los. Ser maleducat amb una colla de jubilats bonifacis! Passar amb l'escúter de l'àvia per sobre d'uns cotxes aparcats!

—Sí, bé, però a part d'això, no he fet absolutament res!

—Mira, pots aprofitar que no pots sortir de casa...

—Per arreglar la caldera? —va preguntar en Ben, esperançat.

—No! No! No! —va contestar la mare—. Una cosa molt més important!

En Ben sabia que només es podia referir a una cosa.

—Els **balls de saló**? —va preguntar en Ben.

—Com ho has endevinat? —va exclamar la mare mentre travessava la sala d'estar fent uns passos de **TXA-TXA-TXA**.

En Ben estava rumiant una idea. Una idea que el podria alliberar. Era un desastre estar castigat quan li requeien tantes sospites a sobre, no només del **grup de Vigilància Veïnal**, sinó també de la policia. Havia de continuar fent la seva feina detectivesca. Només d'aquesta manera podria deixar de ser el SOSPITÓS NÚMERO U.

Si accedia a participar a la competició de ball, llavors l'haurien de deixar sortir. Només hi havia un parell de problemes.

Primer, hauria de ballar davant de la reina! Els pares d'en Ben no sabien res sobre la trobada d'ell i l'àvia amb la reina a la Torre de Londres. I si la reina el reconeixia? Podria revelar el seu secret. I llavors el noi hauria de donar moltes explicacions.

Segon, i més important, en Ben no sabia ballar! Gens ni mica! No sabia fer ni un pas!

Però tot això era molt millor que no pas que el tanquessin a la presó per un delicte que no havia comès! Si en Ben no podia sortir i esbrinar qui era el lladre de debò, segur que el tancarien.

En Ben va respirar fondo. Hauria de representar l'escena següent com un actor guanyador d'un Oscar.

—Mare... —va començar en Ben.

—Sí, Benjamin?

—Estava pensant en la teva proposta per ser la teva **parella de ball**...

—Ah, sí? —va dir la mare.

El noi ja tenia el peix enganxat a l'ham. Ara només l'havia d'estirar.

—I he decidit...

—Sí?

—... que ho faré!

—SÍ! —va exclamar la mare, saltant d'alegria.

—Si...!

—Oh!

—Si...!

—No sabia que hi havia un si...

—Ho faré només si no estic castigat! Perquè si estic castigat, no podré anar al Royal Albert Hall a ballar amb tu, oi?

Tenia una certa lògica retorçada.

—Mmm... M'ho he de rumiar, això —va contestar la mare.

Llavors, al cap de mig segon, va exclamar:

—BENJAMIN! EL CÀSTIG QUEDA AIXECAT!

Va ser el càstig més curt que ha tingut mai una criatura! Menys d'un minut!

—SÍ! —va cridar en Ben, però de seguida va fer cara d'**ESPANT**. Ara ja no hi havia marxa enrere.

La mare, però, estava tan emocionada fent passos de ball per la sala d'estar per celebrar-ho que no se'n va ni adonar.

—Un duet mare i fill! Al públic li encantarà! Primer, al Royal Albert Hall i, després, a tot el món!

—Què? —va balbucejar en Ben.

—Ai, tens raó! Hem d'anar a poc a poc i bona lletra! Només tenim temps fins diumenge!

—Diumenge?

—És clar, és la nit de la competició. Falta menys d'una setmana! Primer de tot, hem de pensar com aniràs vestit! —La mare va acostar la màniga del vestit a la cara del seu fill—. El morat no és el teu color.

—Gràcies a Déu!

—Necessites una cosa més suau... Ja ho sé! ROSA!

—Què c...?

Abans que en Ben pogués dir cap paraulota, el pare va arribar de treballar del supermercat.

—He vist un cotxe de policia aparcat aquí a fora —va dir, mentre entrava coixejant—. Què ha passat?

—Oh! No t'amoïnis per això! —va respondre la mare, deixant en Ben totalment perplex—. El més important és que en Ben és la meva nova **parella de ball de saló**!

—AIXÒ ÉS UN BON NANO! —va cridar el pare—. Sabia que duies el ball a la sang, fill!

—Sip —va respondre en Ben.

I abans que pogués dir res més, la mare ja l'havia agafat per les mans i li feia donar voltes per la sala d'estar.

—VINGA, SOM-HI! —va cridar, més feliç que mai—.

A BALLAR!

SEGONA PART

UN BALL PERILLÓS

14

DOS PEUS ESQUERRES

En Ben ja començava a desitjar que l'agent Fudge l'hagués tancat a la garjola, al capdavall.

Aquella setmana va ser la pitjor de la seva vida.

Primer, la mare va insistir a fer-li emprovar tot un seguit de vestits de **balls de saló** improvisats.

En conjunt es podien incloure en una escala que començava amb la definició de vergonyós, continuava amb extremament vergonyós i acabava amb horriblement vergonyós.

Cada vestit era temàtic.

Hi havia, per exemple:

El de pinya

El d'arlequí

El de molí de vent

El d'osset de gominola

El de Godzilla versus Kong

El de torre de Pisa

El de cactus

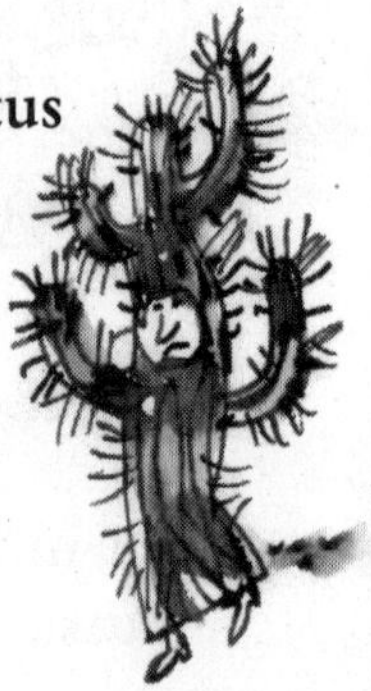

El de Cleòpatra

El de llagostí

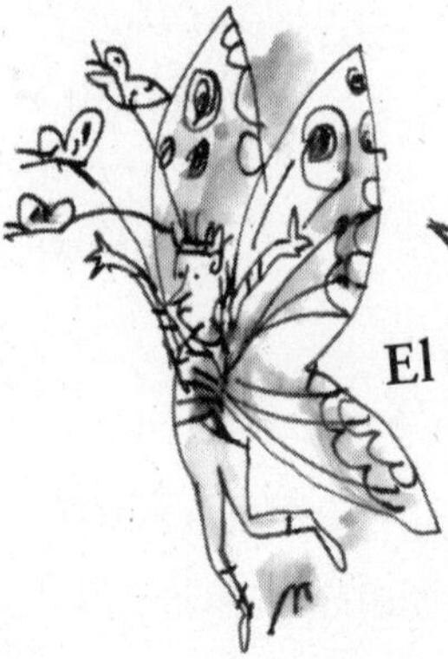

El de gintònic

El d'Hèrcules

El de papallona

El de pastisset ensucrat

El de mil i un globus

El de fruita seca

El d'arc de sant Martí

El d'or líquid

El de faune

El de bola de discoteca

La creació menys horrorosa de la mare va ser una disfressa simplement anomenada «iceberg». No es deia així perquè s'hagués de col·locar al congelador abans que en Ben se la posés. No, simplement era un bodi tot blanc de cap a peus amb un munt de bonys i manyocs pertot arreu que representaven grans blocs de gel.

Quan te'l posaves i et movies una mica, l'efecte en conjunt era d'un granissat gegantí ballant!

—Bé, podria ser pitjor —va dir en Ben.

—Ja veig que t'encanta! Esplèndid! —va exclamar la mare—. Estic molt contenta que hagis triat aquest vestit, perquè tinc una idea brillant per a un número de ball: la història del Titanic!

—El vaixell que es va enfonsar per culpa d'un iceberg?! —va balbucejar en Ben.

—Sí! Jo seré el vaixell i tu, l'iceberg!

—Un vaixell i un iceberg no poden ballar junts!

La mare va quedar molt disgustada.

—Escolta, has de tenir una actitud més positiva, sisplau! En el món dels **balls de saló**, qualsevol cosa és possible!

I això és el que estava decidida a demostrar. Cada dia, tot el dia, en Ben havia d'assajar el número de ball amb la mare, que es basava en la famosa cançó de la pel·lícula *Titanic*, ♡♥ «My Heart Will Go On». ♡♥ La va arribar a sentir tantes vegades que li venien ganes de plorar cada cop que sonava la primera nota.

Malgrat que només tenia dotze anys i era baixet per la seva edat, el noi havia d'alçar, aguantar i fins i tot fer girar la seva mare durant el dramàtic número que ella mateixa havia ideat. Hauria sigut molt més fàcil per al pare, però amb la ferida que s'havia fet al genoll, ara s'ho hauria de mirar des de primera fila.

El vestit de la mare era tan estrambòtic com el del fill. Representava que anava vestida de RMS Titanic (RMS vol dir Royal Mail Ship). El Titanic era el famós transatlàntic que es va enfonsar quan va xocar contra un iceberg en el seu viatge inaugural (és a dir, el primer) a través de l'Atlàntic, l'any 1912. Per tant, la mare es va fer una disfressa de cartró enorme, que incloïa un barret que tenia la forma d'una xemeneia de vaixell amb fum que li sortia per dalt.

En Ben odiava tots i cadascun dels minuts d'assaig, però s'esforçava a fer contenta la mare. No la volia pas decebre la nit que ballaria davant del seu ídol, en Flavio Flavioli, i ell tampoc no volia fer el ridícul davant de la reina. Malgrat tot, en Ben estava convençut que ell era maldestre de naixement, vaja, com si hagués nascut amb dos peus esquerres.

BUSCA LES DIFERÈNCIES

En Ben no era estúpid. Sabia que mai no seria una superestrella dels **balls de saló** com en Flavio. Ara bé, estava força segur que en Flavio no tenia ni idea de desembussar un lavabo. O sigui que estaven equilibrats.

Aquella setmana, en Ben va menjar, dormir i respirar pels balls de saló. Els braços li feien mal, tenia els peus masegats, els genolls fets mistos, el cap li donava voltes i les cames li feien figa de tant ballar. I a sobre, havia sentit la cançó «My Heart Will Go On» almenys cent vegades al dia. Cada cop que la mare la tornava a engegar a l'equip de música, a en Ben li venien ganes de tapar-se les orelles amb el desembussador de la pica.

Amb tot plegat, el noi estava massa cansat per continuar la seva feina de detectiu, però llavors va passar una cosa d'allò més estranya...

15

SENSE PISTES

El diumenge era el dia que en Ben sempre visitava l'Edna. Després de molt suplicar, la mare li va deixar una mica de temps lliure per anar-la a veure. Mentrestant, ella es va quedar assajant amb un sac de patates, que, de fet, segurament ballava més bé que no pas en Ben. Aquella nit se celebrava el campionat de ball, o sigui que en Ben tenia instruccions estrictes de tornar a ser a casa a l'hora de dinar.

El noi estava orgullós de fer feinetes per a l'Edna, especialment qualsevol cosa relacionada amb la lampisteria. Quan l'anava a veure, sempre es para-

va a mig camí per comprar-li una bosseta de **caramels de menta**.

DING!

—Ah! Ben! El meu client preferit! —va exclamar en Raj.

—Ah! Raj! El meu quiosquer preferit! —va respondre el noi—. Gràcies per salvar-me la pell l'altre dia.

—No hi ha res que m'agradi més que fer empipar l'empipador senyor Parker.

—A mi també!

—No t'ha seguit avui?

—Em sembla que no. He sortit d'incògnit pel jardí del darrere.

—Bona pensada, noi. Has vist? Hi ha hagut un altre robatori!

—NO! —va exclamar en Ben, i instantàniament es va ruboritzar pel sentiment de culpa, tot i que ell no havia fet res.

—Sí. Algú ha robat la figura de cera de la reina del museu de Madame Tussauds a mitja nit —va explicar en Raj, mostrant-li la portada del diari.

—Deixa-m'ho veure —va dir en Ben mentre l'agafava.

—Ho sento, però no tinc servei de lectura gratuïta —va dir en Raj, prenent-li de nou el diari.

The World News

ROBADA LA FIGURA DE CERA DE LA REINA!

LA POLICIA NO TÉ PISTES

La nit passada va ser robada la figura de cera de Sa Majestat la reina del famós museu de cera de Madame Tussauds de Londres. Malgrat el sistema de seguretat d'última tecnologia, el lladre va aconseguir entrar-hi sense ser detectat. Es desconeix la motivació que podria tenir el lladre. No s'ha trobat cap pista a l'escena del crim que pugui relacionar aquest robatori amb els de la màscara de Tutankamon i el de la COPA DEL MÓN. Si bé el valor de la figura de cera és desconegut, aquest és un altre cas humiliant per a la policia, que continua sense tenir cap pista dels robatoris.

—La figura de cera de la reina? Quina cosa més estranya de robar —va dir en Ben.

—Mmm —va mussitar en Raj—. Però no crec que sigui tan valuosa com la màscara de Tutankamon o la **COPA DEL MÓN** o un dels meus ous de Pasqua de Mr. Blobby del 1993.

—No —va respondre en Ben, no del tot convençut que un ou de Pasqua caducat en forma de gran bombolla de color rosa tingués un valor comparable—. A més, si et prens la molèstia d'irrompre al museu de Madame Tussauds a mitja nit, per què només t'emportes una figura de cera? Allà dins deu haver-hi centenars de figures de gent famosa! Per tant, per què només hauries d'agafar la de la reina?

—Potser és una broma?

—Pot ser. Però que ho hagin fet precisament ara, just després dels altres robatoris, em fa sospitar. Un altre robatori audaç a mitja nit. Això ha de voler dir alguna cosa. Necessito investigar-ho una mica!

—Però, primer, potser necessites els teus **caramelets** Murray Mints per a la joveneta Edna, oi?

—Ai, sí! Gràcies! —va contestar en Ben, mentre agafava la bossa i deixava els diners al taulell.

—On vas, ara?

—Al museu de cera, evidentment!

—Com hi aniràs?

—Amb la **Millicent**!

—Aniries més ràpid caminant.

—Ha! Ha! Tens raó, Raj!

—Va, ja t'hi porto jo amb el BÒLIT D'EN RAJ!

Al cap d'un moment, ja circulaven tots dos pel centre de Londres, i no van trigar gaire a arribar al museu de Madame Tussauds.

En Raj es va esperar a dins del cotxe i en Ben va donar la volta a l'edifici fins a la porta del darrere. Quan va veure que descarregaven unes figures de cera d'un camió per entrar-les al museu, en Ben es va enfilar al camió i es va quedar completament immòbil. S'havia col·locat entremig de l'almirall Nelson i Charlie Chaplin. Al cap d'un moment, el camioner va agafar en Ben per les cames i el va entrar al museu. Un cop descarregat, i quan el camioner va sortir per agafar la pròxima figura, en Ben es va precipitar com una fletxa passadís avall.

Necessitava veure l'escena del crim, per comprovar si hi havia alguna pista que la policia no hagués vist. Al final, després de passar per les figures de cera de presidents, papes i estrelles del pop, però curiosament cap de lampistes, va trobar la sala on hi havia exposades les figures de la família reial britànica. Com que el robatori havia sortit a les notícies, la sala estava plena de turistes ansiosos de veure l'espai buit on hi havia hagut la figura de cera de la reina. Alguns fins i tot feien fotos de..., bé, del buit.

En Ben va donar una ullada a la sala decorada de granat i daurat, talment com si fos l'interior del palau de Buckingham. Va buscar les possibles vies d'entrada i de sortida del lladre carregant amb la figura de cera.

La sortida d'aire? Massa petita per poder-hi passar.

Una finestra? No n'hi havia cap!

El sostre? Els panells no mostraven cap signe d'haver estat forçats.

En Ben va examinar la catifa granat fosc del terra. Potser el lladre havia entrat des de sota d'alguna manera. Va copsar un minúscul bony sota un extrem de la catifa. Va mirar al seu voltant. Tothom estava admirant les figures de cera, o sigui que es va ajupir i dissimuladament va alçar la punta de la catifa. Al principi no semblava que fos res, simplement un quadrat blanc en el terra de fusta. Però quan en Ben es va ajupir per agafar-ho es va adonar de què es tractava.

Una lletra de l'SCRABBLE!

Just quan en Ben es va redreçar, es va notar una mà a l'espatlla.

—No et moguis! —va dir una veu.

16

IDÈNTIQUES I DIFERENTS

Quan en Ben es va girar, va veure una guarda de seguretat alta i fornida dreta darrere seu.

—Què hi tens, aquí? —li va preguntar la dona.

—R-r-res! —va balbucejar en Ben.

—Doncs si no és res, obre la mà.

En Ben ho va fer.

—L'altra mà! —va exigir.

Aquesta pista era **EXPLOSIVA**. No la podia pas entregar, ara.

—Oh, mira! Una de les figures de cera ha cobrat vida! —va cridar, assenyalant cap a l'altra banda.

N'hi va haver prou perquè la guarda de seguretat es girés, moment que en Ben va aprofitar per fugir.

—ATUREU-LO! —va cridar la guarda de seguretat.

Però en Ben va córrer i es va esmunyir entre les cames dels turistes, i va sortir esperitat del museu tal com hi havia entrat. D'un salt es va introduir al cotxe que l'esperava.

—ENGEGA! —va cridar a en Raj, i van marxar a tota velocitat just quan la guarda de seguretat sortia corrent darrere seu.

BRUUUM!

Quan la van perdre de vista, en Ben va ensenyar a en Raj el seu tresor pispat.

—Mira! —va dir, obrint la mà.

—Una lletra de l'**SCRABBLE**! Per tant, deu ser...

—EL MATEIX LLADRE! —van exclamar junts.

—On l'has trobat?

—A sota de la catifa de la sala de la reialesa. Però només hi havia una Z! Fins ara, amb les lletres de l'**SCRABBLE** el lladre formava una paraula, però què vol dir una Z tota sola?

En Raj va arronsar les espatlles.

—No ho sé, però val vuit punts si la fas servir!

—Excepte que al lladre li caigués per error! —va exclamar en Ben.

—Quin nano més espavilat que ets, Ben! Podries ser la nova Miss Marble, o Shirley Holmes!

—Gràcies, Raj.

—On anem ara, mestre?

En Ben va mirar l'hora al rellotge.

—Em pots portar a la residència d'avis, sisplau? Fa mitja hora que hauria de ser-hi, i l'Edna ja deu patir. No vull que telefoni als meus pares!

—Doncs vinga! Agafa't fort! —va contestar en Raj, accelerant al màxim el seu Reliant Robin.

BRUUUM!

—Interessant. Molt interessant, rei —va ser el veredicte de l'Edna quan va examinar la peça de

SCRABBLE a la seva petita habitació, mentre prenia un te i **caramels de menta**.

A en Ben li encantava visitar l'Edna. Sovint parlaven de l'àvia, i l'Edna treia el seu vell àlbum de fotos amb tapes de pell, on hi havia imatges antigues de les dues cosines, que sempre havien estat molt unides. Però avui, en Ben li havia volgut ensenyar el que havia trobat. No volia amoïnar la velleta, o sigui que li havia explicat el mínim possible, però l'Edna era molt viva. Havia seguit les notícies atentament i sabia que aquell descobriment del noi tenia alguna cosa a veure amb els robatoris.

—Només és una lletra de l'**SCRABBLE** —va dir en Ben, arronsant les espatlles.

—No és pas qualsevol cosa, rei.

—Però deu haver-n'hi milions, d'aquestes peces de **SCRABBLE** al món, o potser bilions!

—Dona'm la capsa de l'**SCRABBLE**, maco, sisplau —va dir l'Edna.

—Val més que no barregem les peces. He de portar aquesta a la policia.

—És clar, però cada cosa al seu temps.

En Ben va agafar la capsa de l'**SCRABBLE** vella i polsegosa.

—Era de l'àvia. Encara fa olor de **col** —va dir, ensumant la capsa.

—Mira, m'hauria estimat més que la teva àvia m'hagués deixat l'escúter, però ja ho veus!

—Em sap greu, Edna! —va respondre en Ben fent petar la llengua—. La trobo tan a faltar, l'àvia...

—Ja m'ho penso. Però la portes a dins del cor, oi? —va dir, donant un copet al pit del noi.

—Sip. Sempre l'hi portaré.

La velleta va somriure i va obrir la capsa. Va agafar amb compte la bossa de lletres.

CLINC! CLINC! CLINC!, feien les lletres xocant les

unes contra les altres. Tot seguit, les va abocar sobre la tauleta.

—A veure, on tenim la  ? —va preguntar per si mateixa.

—És aquí, Edna! —va respondre en Ben, assenyalant-la.

—Molt bé, noi. Ara, posa la teva  al costat de la meva.

En Ben va col·locar la seva lletra a sobre la taula.

—No hi ha cap diferència! —va exclamar—.  . Vuit punts.

—Mira-ho bé, rei! —va dir l'Edna, brandant el cap en veure el neguit del noi.

En Ben va examinar les dues peces.

—Bé, són d'un color lleument diferent.

—Molt bé.

—La de l'àvia és blanca, i en canvi aquesta és cru, com de color d'ivori.

—És el mateix que he vist jo! I això que la meva vista ja no és la d'abans. Ara fem la prova del cop.

—El què?

—Tu dones un cop amb la teva peça a sobre la taula i després jo faré el mateix amb la meva.

—Però per què?

—Confia en mi!

En Ben va brandar el cap, i llavors va picar amb la peça a sobre la taula.

TOC!

Tot seguit ho va fer l'Edna amb la seva.

TUC!

—Sonen diferent! —va exclamar en Ben—. Però són gairebé idèntiques.

—Idèntiques i diferents! —va contestar l'Edna—. Deuen estar fetes de materials diferents. La meva és de plàstic, però la teva...

En Ben va tornar a picar amb la peça sobre la taula.

TOC!

—... està feta de porcellana fina!

—Porcellana fina? Em pensava que totes les peces de **SCRABBLE** eren de plàstic.

—Jo també. Però la que has trobat a l'escena del crim deu ser d'un joc de **SCRABBLE** fet a mida.

—I qui té un joc de **SCRABBLE** especialment fet a mida?

—No tinc pas totes les respostes, Ben, però em penso que has trobat la teva primera

17

DESFILADA DE CONTENIDORS

En Ben es guardava la pista ben agafada al palmell. No gosava posar-se aquella peça de **SCRABBLE** a la butxaca per si de cas la perdia.

Era una pista EXPLOSIVA! Vinculava el lladre amb tots tres robatoris! En Ben l'entregaria a la policia, i a partir d'aquí, ells podrien fer la seva feina. Empremtes. Mostres d'ADN. Esbrinar qui tenia un joc de **SCRABBLE** especial amb lletres fetes de porcellana. Un cop la policia detingués el culpable de debò, el senyor Parker i el seu exèrcit d'avis deixarien en pau en Ben per sempre més. Quedaria demostrat que el noi era innocent. Ufff!

En Ben va donar una ullada a la mà per comprovar que la peça de **SCRABBLE** encara hi era. Distret, sense mirar endavant, va xocar estrepitosament contra un contenidor de metall.

PLONC!

Quin DESASTRE! La peça de **SCRABBLE** li va caure de la mà.

CLINC!

Allò no era un contenidor normal i corrent. Aquell tenia un home a l'interior. El senyor Parker, és clar!

Es tractava de l'última disfressa de l'arxienemic d'en Ben.

Havia retallat la part inferior del contenidor, de manera que per sota li'n sortien les cames, i treia el cap per l'escletxa que hi havia entre la vora del contenidor i la tapa.

—Senyor Parker! —va exclamar el noi des de terra.

L'home del contenidor es va inclinar sobre el noi amb aire amenaçador.

—Exacte, saluda el teu amic líder del **grup de Vigilàn-**

cia Veïnal, Secció Atrotinats! —va dir amb desdeny—. On t'havies ficat?

—Enlloc —va contestar en Ben.

—Bé deus haver anat a un lloc o altre.

—No, senyor Parker! No he anat enlloc!

—Et pensaves que podries desempallegar-te de mi a l'aparcament, oi?

COM POTS FER-TE UNA DISFRESSA DE CONTENIDOR:

Busca un contenidor adequat i maco.
Neteja'l.
Torna'l a netejar, per si de cas.
Torna'l a netejar.
Aguanta't la tapa sobre el cap fent passar una corretja per sota la barbeta.
Enganxa unes corretges per a les espatlles a l'interior del contenidor.
Fica't a dins del contenidor.
Retalla el fons del contenidor.
Col·loca't el contenidor subjectant-lo amb les corretges de les espatlles.

ENHORABONA! JA ETS UN CONTENIDOR!

—No. Ho sento. Jo només...

—Ningú es desempallega del senyor Parker! Ni del meu exèrcit de **Vigilància Veïnal**!

Just en aquell moment, tots els contenidors del carrer van cobrar vida. Contenidors amb rodes. Contenidors de reciclatge. Contenidors de compost. Tots els tipus de contenidors imaginables tenien un dels vellets del seu exèrcit a dins.

Amb un moviment estudiat, de seguida van tenir en Ben acorralat.

—Jo no he fet res mal fet! —va protestar el noi.

—Això ja ho jutjaré jo! —va contestar el senyor Parker.

—Tira-li un llibre al cap! —va dir la seva germana, camuflada dins d'un contenidor de compost.

—Tanqueu-lo i llenceu la clau! —va afegir un petit contenidor de pedal des del seu darrere.

—Què és això que hi ha aquí terra? —va preguntar el senyor Parker, aprimant els ulls.

—Jo? —va preguntar en Ben, que efectivament estava ajagut a terra.

—No! —va retronar el senyor Parker, mentre s'ajupia amb molta dificultat, com qualsevol disfressat de contenidor, és clar—. AIXÒ!

El veí tafaner va alçar la peça de **SCRABBLE** enlaire com si acabés de trobar el Sant Graal.

—Ho puc explicar! —va exclamar en Ben.

—Pots explicar-ho tot a la policia, perquè és on et portarem ara mateix!

Des del terra de la vorera, en Ben va donar una ullada al seu voltant. Tenia contenidors per totes bandes.

Just quan estava a punt de perdre qualsevol esperança, va veure una figura que saltava d'una branca a l'altra de l'arbre frondós que hi havia a sobre seu.

Era el **gat negre**!

El gat va mirar directament en Ben. En Ben li va aguantar la mirada.

—Què mires? —va preguntar la senyora Parker, guaitant per sobre l'espatlla del seu germà.

En Ben estava segur que el gat en duia alguna de cap.

—Res! —va contestar fent veu d'innocent.

Tal com esperava, el gat va saltar de l'arbre.

FIUUUU!

Va anar a aterrar a la part posterior del contenidor de la senyora Parker.

CLONC!

—AAAHHH! —va xisclar ella mentre queia endavant i xocava contra el seu germà.

CLONC!

—Oooh!

Tots dos van començar a trontollar i en Ben va rodolar per apartar-se'n.

Van caure ben estiregassats a terra.

CATACROC!

La força del cop va enviar la peça de **SCRABBLE** volant en l'aire.

El gat la va caçar amb la boca i tot seguit la va posar a la mà d'en Ben.

—Gràcies! —va dir ell—. Em cobreixes les espatlles, oi?

«MEU!», va miolar el gat, tot i que a en Ben no li va quedar clar si era un sí o un no.

De totes maneres, no hi havia temps per esbrinar-ho, perquè l'exèrcit de contenidors ja formava un cercle al seu voltant.

—Estàs atrapat! —va cridar el senyor Parker, mentre en Ben es regirava desesperadament intentant posar-se dret.

—No ho crec pas! —va dir en Ben.

Tot seguit, va fer rodolar el contenidor del senyor Parker contra els altres.

BARRABUM!

Els va fer caure tots a terra com si fossin bitlles!

CLONC! CLONC! CLONC!

Ara en Ben ja tenia una via d'escapament. Amb la peça de **SCRABBLE** a la mà, es va posar a córrer tan ràpid com va poder, amb els contenidors perseguint-lo tot el camí.

—EMPAITEU-LO!

—ATRAPEU AQUEST NOI!

—TANQUEU-LO I LLENCEU LA CLAU!

El gat va estirar la cua per fer ensopegar un dels contenidors.

CLONC!

Però continuaven perseguint-lo.

Quan va tombar la cantonada del seu carrer, en Ben va veure els seus pares esperant-se a fora de casa amb un parell de maletes a la mà.

—BEN! ON COI T'HAVIES FICAT? —va cridar la mare—. ARRIBAREM TARD AL CAMPIONAT DE BALL!

—ENGEGUEU EL COTXE! —va cridar en Ben amb l'exèrcit de contenidors darrere seu.

—QUÈ? —va cridar el pare.

—ENGEGA EL COTXE! AFANYA'T!

El pare i la mare van entaforar les maletes al maleter i van pujar al petit cotxe de color marró.

El cotxe va sortir disparat pel camí d'entrada, i en Ben s'hi va enfilar d'un salt per la finestra del darrere; encara se li agitaven les cames per fora mentre el vehicle s'allunyava a tot drap.

BRUUUM!

18

UNA PROFUNDA SENSACIÓ DE TERROR

Quan en Ben va veure l'enorme cúpula del Royal Albert Hall, va notar una profunda sensació de terror a la panxa.

«Deu haver-hi milers de persones», va pensar en Ben. No es podia creure que hagués accedit a actuar allà! Especialment davant de la reina!

—Pare, com tens el genoll? —va preguntar, mentre s'amagava la peça de **SCRABBLE** a dins dels calçotets.

—Oh, que amable per preguntar-m'ho, fill. Una mica millor —va respondre el pare.

—Una mica millor! És un MIRACLE!

—Què vols dir?

—Podràs ballar davant de la reina!

—No, no, Benjamin! —li va etzibar la mare—. No te'n lliuraràs pas tan fàcilment, d'això!

—Però... —va protestar en Ben.

—Ja sé què intentes fer. No. No. No. Això que hem preparat és molt més original! Ben, que no t'adones que estem a punt de fer història?

—Mmm, no és exactament la Segona Guerra Mundial —va replicar en Ben.

—**HISTÒRIA EN ELS BALLS DE SALÓ!** El ball sensacional mare i fill està a punt de conquerir el món!

—Jo pensava retirar-me després d'aquest vespre —va contestar ell.

—Retirar-te? Però si tot just és el començament. Aquesta nit naixerà una llegenda dels **balls de saló**!

«Ja és oficial! —va pensar en Ben—. La mare està sonada!».

Un cop a dins del Royal Albert Hall, el pare va dir:

—Molta merda! —I tot seguit va anar a seure a l'auditori. Això és el que sol dir la gent del món de l'espectacle quan es desitgen bona sort a l'escenari, tot i que no semblava gaire adequat dir-ho just en aquell moment, perquè era molt possible que algú realment fes una actuació de merda.

Mentrestant, un dels organitzadors va acompanyar en Ben i la mare a un camerino enorme. Estava atapeït de parelles de ball empolainant-se davant dels miralls amb bombetes. Semblava que tots es coneixien, i se saludaven amb una falsa amabilitat fent-se dos petons a l'aire i dient-se «rei» i «reina» uns i altres.

—Muac! Muac!

—**Digue'm quin és el teu to de bronzejat amb esprai, rei! O has fet servir crema?**

—Ets molt valenta d'anar amb un vestit de color groc amb aquest cul tan gros, reina!

—Espero que no et torcis el turmell com l'última vegada, rei!

—Oh, tens uns cabells preciosos, reina! Portes perruca?

—Encara balles a la teva edat! Ets realment un exemple inspirador!

Ells dos es van començar a vestir, en Ben d'iceberg i la mare de Titanic. Es van sentir rialletes dels altres participants.

Davant d'un mirall, la mare va intentar retocar-se el quilo de maquillatge que s'havia posat mentre els altres concursants l'apartaven a cops de colze, i en Ben va començar a pensar en alguna cosa, el que fos, que el pogués salvar d'aquell destret...

Era possible que el Royal Albert Hall es convertís en un plat volador i sortís propulsat cap a l'espai?

O que Londres quedés submergida de sobte sota una **ONADA** de fang?

I si un superheroi i un superdolent decidien fer una superlluita a Londres i destruïen el Royal Albert Hall?

Potser un dels ballarins de claqué picava massa fort al terra de l'escenari i **feia esfondrar** el Royal Albert Hall...

I si en Ben es menjava un terròs de sucre *màgic* i s'encongia com un osset de gominola i podia fugir d'allà?

O potser un gegant destrossava el teulat del Royal Albert Hall i devorava tots els ballarins...

I si la Gran Bretanya patia un atac de **tomàquets gegants letals**?

Era possible que es fes un forat en el continu espaitemps i que els **DINOSAURES** tornessin a assetjar la Terra? Potser un tiranosaure Rex seria prou amable d'engolir la mare d'en Ben, oi? Sobretot si en Ben l'hi demanava educadament.

Tant de bo un **meteorit travessés** l'atmosfera terrestre i anés a parar directament al Royal Albert Hall! Això seria UN COP DE SORT REALMENT FANTÀSTIC!

O ves a saber, potser un exèrcit de bilions de formigues afamades es cruspia les totxanes del Royal Albert Hall en qüestió de segons...

Malauradament, malgrat les pregàries d'en Ben, res de tot això no va passar.

En aquell moment, una veu a través de l'intercomunicador va anunciar:

—Ben i Linda Herbert, a l'escenari, sisplau!

A veure, què podia sortir malament?

Doncs bé, absolutament

tot...

19

PERFECTAMENT EMPOLAINAT

Drets en la foscor d'un costat de l'escenari enorme, en Ben i la mare esperaven que en Flavio Flavioli anunciés els seus noms.

—*Sa Majestat Majestàtica Reial la reina* —va començar en Flavio, mentre es col·locava al lloc on sens dubte li agradava més posar-se: sota el focus. Com sempre, l'estrella televisiva dels balls de saló anava depilat, maquillat, engominat, encremat i **perfectament empolainat.**

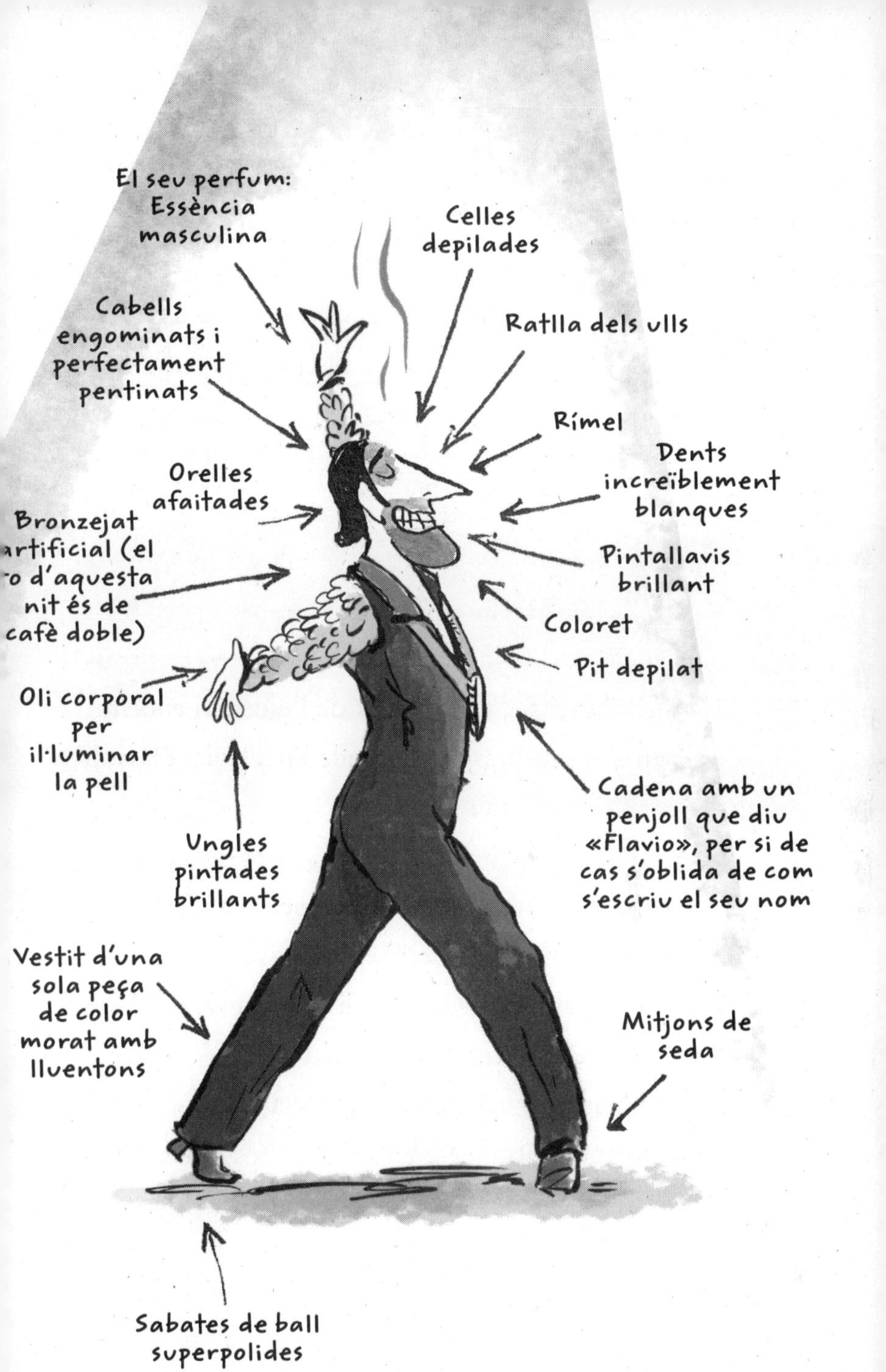
El seu perfum: Essència masculina
Celles depilades
Cabells engominats i perfectament pentinats
Ratlla dels ulls
Rímel
Orelles afaitades
Dents increïblement blanques
Bronzejat artificial (el o d'aquesta nit és de cafè doble)
Pintallavis brillant
Coloret
Pit depilat
Oli corporal per il·luminar la pell
Cadena amb un penjoll que diu «Flavio», per si de cas s'oblida de com s'escriu el seu nom
Ungles pintades brillants
Vestit d'una sola peça de color morat amb lluentons
Mitjons de seda
Sabates de ball superpolides

En Ben s'estava allà dret, parpellejant constantment. Els focus de l'escenari eren tan potents que amb prou feines podia mantenir els ulls oberts. Al fons de l'escenari hi havia una gran orquestra; tots els músics passaven pàgines de les partitures per buscar la propera peça que havien de tocar.

—Senyores i senyors, és un gran plaer per a mi presentar-los els concursants que ara sortiran a l'escenari. És una parella de ball formada per mare i fill...

Es van sentir murmuris de sorpresa entre el públic. Allò no ho havien vist mai, i segurament no ho veurien mai més!

—... i es diuen Ben i Linda Herbert. M'imagino que en Ben és el fill i la Linda és la mare. Han vingut des de les Hèbrides Exteriors per ser avui aquí amb nosaltres, i segons m'han dit són unes grans estrelles. Per a la competició d'aquesta nit, ens representaran la dramàtica història de l'enfonsament del Titanic... en forma de BALL!

La gent del públic va aplaudir educadament, excepte el pare, que va ser l'únic que es va aixecar i els va animar a crits.

—VISCA!

Tothom es va girar per mirar-lo, i llavors el pare va fer una ganyota de dolor.

—AU! EL MEU GENOLL! —va cridar, i es va deixar caure de nou al seient.

PLOF!

Mentrestant, la Linda va sortir a l'escenari estirant en Ben darrere seu. Els aplaudiments es van convertir en rialles, quan el públic va veure les seves estranyes disfresses. Havia sigut una nit de vestimentes estranyes, però un vaixell i un iceberg eren el SÚMMUM d'estrafolaris!

—HA! HA! HA!

A en Ben li hauria semblat bé que el món s'acabés, si a canvi no s'hagués hagut d'estar ni un segon més dalt de l'escenari. Va intentar amagar-se darrere de la mare, però la disfressa d'iceberg era tan voluminosa i bonyeguda que no podia passar desapercebut de cap manera. Era ridícul, i feia riure encara més el públic.

—HA! HA! HA!

«Doncs espereu a veure'ns ballar —va pensar en Ben—. Llavors sí que riureu amb ganes!».

La mare va treure el llavi enfora i va arrufar el nas, però en Ben mantenia el cap cot. No volia que la reina el reconegués d'aquella nit amb l'àvia a la Torre de Londres.

Per sort, la reina era força lluny de l'escenari, estava asseguda a dalt, a la llotja reial.

En Flavio era molt més a prop. De seguida va reconèixer la parella. Com podria oblidar la nit que en Ben va ballar tot sol en el concurs de **balls de saló** júnior i va treure la puntuació més baixa que s'hagués registrat mai a tot el món?

Tres zeros.

Fins i tot sumant les tres puntuacions, el resultat continuava sent zero.

UN ZERO GEGANTÍ!

No obstant això, la persona que va alarmar més en Flavio, si s'havia de jutjar per la seva cara d'horror, va ser la mare.

Aquella era la superfan que s'havia afanyat a fer-li la respiració boca a boca quan li van llançar aquella sabata de claqué al cap!

—Oh, no. Ets tu! —va dir en Flavio entre dents quan la Linda s'hi va acostar.

—Oh, sí! —va contestar ella—. Soc jo! I mira les meves ungles.

Va agitar les mans davant de la cara d'en Flavio. Com que la mare treballava en un saló de manicura, sempre es feia creacions originals i meravelloses a les mans. Aquesta nit, a les seves ungles es podia llegir: **«I LOVE FLAVI»**.

—Si tingués un dit de més, hi hauria afegit la O! —va explicar.

En Flavio va fer un lleu somriure, va brandar el

cap i es va allunyar remenant el cul tan ràpid com va poder. Just abans de desaparèixer de l’escenari, en Flavio es va tornar a acostar el micròfon a la boca:

—MÚSICA, SISPLAU!

El vell director va picar amb la batuta al faristol i l’orquestra va començar a tocar la famosa melodia de la pel·lícula *Titanic*,

«My Heart Will
Go On».

20

UNA TACA BORROSA

Tal com havien assajat, el RMS Titanic (la mare) i l'iceberg (en Ben) van començar a donar voltes a l'escenari mentre la música sonava. Després es van col·locar l'una al davant de l'altre i van fer els mateixos moviments, fins que en Ben va agafar la mare de la mà i es van posar a ballar un vals. El noi era baixet per la seva edat, i la diferència d'alçada era una mica ridícula. Es van sentir rialletes des del públic, fins que algú va fer un fort:

—Xxt!

Era el pare, defensant amb orgull l'honor de la família, instant les altres 5.271 persones del Royal Albert Hall que fessin silenci.

Aleshores va arribar el primer pas de ball dramàtic de l'actuació. Amb una certa dificultat, el RMS Titanic va alçar l'iceberg enlaire i se'l va col·locar a sobre el cap. Llavors, la mare va començar a donar voltes sobre si mateixa, mentre en Ben estirava braços i cames com una estrella de mar i resava perquè ningú de l'escola per casualitat fos entre el públic.

El que es va produir tot seguit va ser una maniobra agosarada, la qual la mare estava segura que deixaria els jutges bocabadats. Agafant en Ben pels turmells, el va fer lliscar avall per la seva esquena. Però malgrat ser baixet per la seva edat, el noi estava força refet, i va caure a terra amb un **PATAM**.

—HA! HA! HA! —va riure el públic.

—Vigila, mare! —va xiuxiuejar en Ben.

—Soc el Titanic! Gràcies, Ben, vull dir... iceberg! —va replicar ella.

Després va agafar el seu fill pels turmells.

—AU! Vigila amb les ungles! —va gemegar ell quan la mare li va clavar les ungles postisses a la pell.

—Xxt! —va fer ella.

Quan el va tenir ben agafat, el va arrossegar així per tot l'escenari, donant voltes amb el noi de panxa enlaire. Si en aquell moment algú hagués entrat al Royal Albert Hall, hauria pogut pensar perfectament que la dona feia servir el noi per netejar el terra.

Però tot just començar aquesta part de l'actuació, ja van passar a una altra. A mesura que la cançó s'acostava al seu dramàtic *crescendo*, el Titanic va deixar anar l'iceberg. L'iceberg va rodolar i es va posar dret, i llavors va caminar cap al Titanic, que estava immòbil al mig de l'escenari.

—No em veig amb cor de fer les voltes! —va xiuxiuejar en Ben.

—És el gran final del número!

—Faré el que pugui!

—Fes-ho per en Flavio!

Gens convençut, en Ben va agafar la mare pels canells. A l'instant ja va tornar a notar les seves ungles ben clavades a la pell.

—AU!

—Xxt! —va fer ella.

Llavors va començar a fer-li donar voltes.

Primer, a poc a poc, i a mesura que la música agafava impuls, la mare també, fins que se li van alçar els peus enlaire mentre en Ben la feia girar.

Va semblar que el públic quedava impressionat amb això. No es veia pas cada dia un noi fent alçar la seva mare de terra, com si volés.

Es van sentir uns tímids aplaudiments del públic i un crit d'ànims del pare.

—AIXÒ ÉS GENIAL!

En Ben no podia aguantar el mal de les ungles de la mare clavant-se-li als braços.

—Això és una tortura! —va gemegar.

—No em deixis anar! —va suplicar la mare.

FIUUU!

Ara havia agafat embranzida ella sola. Per molt que volgués, en Ben no podia fer aturar la mare. Girava tan ràpid que era impossible poder parar.

FIUUUU!

Com més ràpid girava, més es clavaven les ungles de la mare a la pell d'en Ben. Tenia els ulls negats de dolor.

—Mare! No puc més! —va cridar.

—És clar que pots! Ja estem a punt d'acabar l'actuació! Falten pocs segons!

—NO PUC! SOCORS! QUE ALGÚ M'AJUDI SISPLAU!

FIUUUU!

El director de l'orquestra no sabia què fer i va començar a dirigir més i més ràpid. La música es va accelerar. I a mesura que la cançó perdia el control, la mare també.

FIUUUU!

Les ungles es clavaven als braços i les mans d'en Ben.

En Flavio Flavioli s'ho mirava des d'un costat de l'escenari, bocabadat.

—FLAVIO! SALVA'M! —va esgaripar la mare quan els seus peus van fregar els cabells del presentador.

En Flavio es va apartar. Aterrit, va travessar l'escenari corrents amb l'esperança d'evitar que el toquessin.

Que equivocat que anava.

—HO SENTO, MARE! —va cridar en Ben, quan els dits de la mare van relliscar entre els seus.

FLAAAS!

—M'HAS DE DIR «TITANIC»! —va cridar ella mentre volava fent voltes en l'aire. Anava tan ràpid que era poc més que una taca borrosa. Una taca borrosa que va tocar en Flavio amb tanta força...

BUUUM!

... que el va enviar disparat cap al públic.

En Flavio va aterrar just a sobre del pare.

Just quan la mare es va encastar de cap per avall a sobre dels jutges asseguts a primera fila, «My Heart Will Go On» va arribar al seu final culminant!

Després, silenci absolut, només trencat quan en Ben va exclamar:

—Ups!

21

NATJA TRENCADA

—Em penso que m'he trencat una de les natges! —va gemegar en Flavio.

—No, les natges no! Noooooo! —va esgaripar la mare.

—Jo m'he fet mal a l'altre genoll, ara! —va somicar el pare.

Des de l'altra banda de l'escenari, va sortir volant una sabata de claqué.

FIUUU!

Va anar a parar al clatell d'en Ben.

—AU!

Va trontollar sobre l'espai de l'orquestra...

POOOF!

... i va caure al damunt del director.

POOOF!

De retruc, el director va caure sobre el faristol.

PATAC!

I això va ser només el principi d’un efecte dòmino gegantí que va tombar tota l’orquestra!

El faristol va caure sobre l’arpista.

ZAAAST

L’arpa es va bolcar sobre els violinistes.

CLONC!

Que van caure sobre la secció de metalls.

TUUUT!

Els metalls es van precipitar contra el pianista.

CATACLINC!

I el piano va sortir disparat endavant i va xocar contra la bateria.

BANG!

Al cap de poc, els músics i els seus instruments eren una massa arremolinada al fossat de l'orquestra.

De sobte, la gent del públic, enfadada, es va aixecar assenyalant en Ben.

—Aquest noi ha espatllat el concurs!

—Ha sigut culpa seva!

—AIXÒ ÉS INDIGNANT!

—Que ho pagui!

—ÉS UN MALVAT!

—Atureu-lo!

—ATRAPEU-LO!

—Agafeu-lo pels blocs de gel!

—QUE ALGÚ L'ATURI!

—Feu-lo fondre en un bassal!

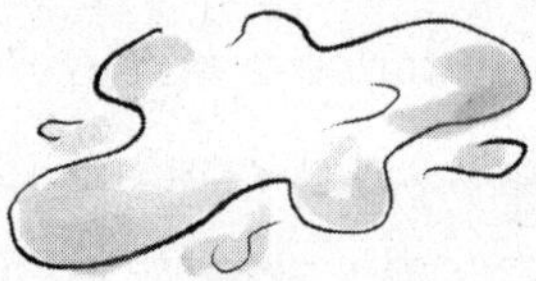

En Ben va sortir de l'espai de l'orquestra i es va enfilar de nou a l'escenari, però de seguida una colla de policies que eren allà per protegir la reina ja el tenien envoltat.

El noi va fugir corrents. Va saltar des de l'escenari al respatller d'una de les butaques del públic. Mentre un mar de mans s'esforçaven a agafar-lo pels turmells, ell va anar saltant d'una butaca a l'altra.

HOP!

HOP!

HOP!

Però aviat es va adonar que mirés on mirés, NO HI HAVIA ESCAPATÒRIA!

Desesperat, en Ben va guaitar cap a la llotja reial.

Potser el protegiria la reina? Així doncs, va anar saltant per les butaques i es va impulsar cap a les llotges que envoltaven l'auditori. Era difícil anar disfressat d'iceberg, però no va trigar a enfilar-se a la llotja reial. Va grimpar per la balconada, es va deixar caure a l'interior i es va agitar com un peix en una xarxa.

En Ben va aconseguir posar-se de genolls i es va quedar així. No li sabia gens de greu humiliar-se.

—Sa Majestat —va començar—. No sé si se'n recorda de mi. Soc en Ben. Ens vam conèixer una nit que jo era amb la meva àvia a la Torre de Londres. Hi vam anar per robar les *joies de la Corona*. Aquella nit vostè va ser tan amable de perdonar-me, i aquest vespre em llanço als seus peus. Sisplau! L'hi suplico, ajudi'm!

El noi va alçar el cap, però l'expressió de la reina no va canviar.

A sota, hi havia una tempesta d'indignació.

—QUÈ ET PENSES QUE FAS, NOI?

—APARTA'T DE SA MAJESTAT LA REINA!

—TANQUEU-LO A LA TORRE!

Desesperat, en Ben va allargar la mà per tocar la de la reina.

—SISPLAU!

En aquell moment es va fixar en una cosa estranya.

La mà de la reina estava freda.

I llavors en Ben es va adonar que no era la reina!

Era la seva...

figura de cera!

22

UNA FIGURA MISTERIOSA

PAM! PAM! PAM!

Estaven trucant molt fort a la porta de la llotja reial.

—POLICIA! OBRIU!

El cor d'en Ben bategava desbocat. Va saltar a la llotja del costat, que estava plena de gent elegant amb vestits de nit.

—Perdó! —va dir mentre passava entremig i sortia per la porta.

En Ben va donar una ullada a la seva dreta i va veure un exèrcit de policies a fora de la llotja reial.

Tots els agents el van mirar. En Ben va somriure abans de dir:

—Bona nit.

I tot seguit va començar a marxar a poc a poc per no aixecar sospites. Tanmateix, el fet d'anar vestit de bloc de gel enorme no el feia passar precisament desapercebut.

Els agents de policia el van saludar amb un cop de cap abans que el menys obtús el reconegués.

—És el noi iceberg! —va cridar—. Atrapem-lo!

En Ben va travessar corrent el vestíbul circular per fugir d'allà. Un tros endavant, va veure una figura *misteriosa* que desapareixia per una porta amb un rètol que deia:

PROHIBIT PASSAR

El noi es va girar un moment enrere i va comprovar que era fora de la vista de la policia, de manera que es va esquitllar per la porta i la va tancar darrere seu. En Ben es va quedar quiet en la foscor mentre sentia passos corrent a l'altra banda de la porta. Els havia despistat. De moment. Més endavant, va veure un feix de llum que apareixia i desapareixia quan la figura travessava una altra porta. Va córrer pel passadís estret per atrapar-la. Quan va obrir l'altra porta, es va trobar una escala de cargol vella per on la figura ara pujava a pas ràpid.

CLANC! CLANC! CLANC!

El noi va mantenir la distància, no volia pas que aquella figura el descobrís. Per tant, va esperar que la persona arribés a dalt per pujar ell per les escales.

CLANC! CLANC! CLANC!

Al capdamunt de l'escala de cargol hi havia una escotilla. Quan en Ben la va obrir, es va trobar a la cúpula del Royal Albert Hall.

I dreta just a la part superior de la cúpula hi havia la figura. S'havia tret la roba i ara duia una granota negra d'una sola peça, com la que s'havia posat l'àvia d'en Ben per fer de **GAT NEGRE**! Després la figura va treure una màscara d'algun lloc i se la va posar pel cap.

Tot seguit, va estirar un cordill de la bossa que duia.

CLIC!

En aquell instant, va passar una cosa increïble! Com si fos un dispositiu d'alta tecnologia, la bossa es va transformar en una ala delta!

FLOOOP!

Llavors, la figura es va col·locar bé a l'ala delta. Però abans que en Ben tingués temps de cridar «QUI ETS?», la figura va agafar embranzida i es va llançar al cel de la nit.

FIIIUUU!

23

BOLETS GEGANTS

—NO ET MOGUIS! —va cridar algú darrere seu.

En Ben es va girar i va veure la policia dalt de la cúpula del Royal Albert Hall.

En el cel nocturn, la figura s'allunyava volant en l'ala delta. En Ben estava convençut que havia de tenir algun avantatge anar disfressat d'iceberg. Per tant, sense dir res, va córrer cap als policies. Quan van veure aquell embalum de cartró que es precipitava contra ells, es van apartar d'un salt.

—AAAIX!

—SOCORS!

—NOOO!

Van caure i van relliscar pels costats de la cúpula mentre en Ben s'escapava. La porta per on havia pujat ara estava bloquejada per més agents de policia, però per sort va trobar una altra trapa al sostre i la va poder obrir.

BAM!

Per desgràcia, donava directament a l'auditori. I era MOLT I MOLT AVALL!

Penjant del sostre del Royal Albert Hall hi havia una gran quantitat del que semblaven bolets gegants. Estaven fets de fibra de vidre i servien per evitar que el so fes eco a l'auditori. En veure que la policia corria cap a la trapa, en Ben va pensar que no tenia alternativa. Va saltar i va anar a parar a un dels bolets gegants.

DOING!

Com que estaven penjats de cables de filferro, el bolet on va anar a parar en Ben es va començar a balancejar, xocant contra els altres.

CLONC! CLONC!

En Ben va anar saltant d'un bolet a l'altre, mentre milers de persones el miraven des de baix, horroritzades.

—OOOH!

—VIGILA NO CAIGUIS, BEN! —va cridar el pare.

—NO HO TENIA PAS PENSAT! —va contestar en Ben.

En un tres i no res va anar travessant la sala i va arribar a un costat. Va saltar de l'últim bolet i va fugir pel passadís i escales avall.

Tanmateix, en cada direcció que en Ben corria, hi havia més i més policies. Era impossible que ara es pogués obrir pas. Formaven barreres humanes entrellaçant els braços, tal com farien per contenir una multitud.

—ESTÀS ATRAPAT, NOI! PARA DE FER XIMPLERIES I ENTREGA'T! —va cridar un agent de policia que semblava més gran que els altres.

Al costat d'en Ben, es va obrir una finestra.

CLIC!

I qui l'obria era el **gat negre**!

Va empènyer el vidre cap amunt fent força amb el cap. En Ben li va picar l'ullet. El gat va roncar i li va picar l'ullet també.

«PURRR!».

Aquella criatura ja l'havia salvat una vegada. La finestra era la seva única salvació. Tot i anar disfressat d'iceberg, va contestar al policia amb un heroic:

—Això mai!

Tot seguit, esperant el moment exacte en què un autobús turístic sense sostre frenava a fora del teatre, va saltar.

FIUUU!

PATAM!

Va caure de cul al seient del darrere del bus, que immediatament es va posar en marxa.

BRUUUM!

En Ben es va permetre saludar amb la mà els agents de policia que treien el cap per la finestra.

—ADEU! —va cridar.

Després, va examinar el cel buscant algun rastre de la figura misteriosa.

A la llunyania, va poder distingir la forma de l'ala delta retallada contra la lluna. Llavors es va adonar que el bus anava en la direcció equivocada! Va prémer el timbre, va baixar corrents les escales de cargol i en va sortir. Per sort, un altre bus turístic de Londres anava en la direcció contrària. En Ben va

creuar el carrer, s'hi va enfilar i va pujar cap al pis de dalt.

Va tornar a examinar el cel fins que va veure l'ala delta.

Planava per sobre el riu Tàmesi i va travessar el Tower Bridge. Finalment, la figura va aterrar al cim d'un dels edificis històrics més famosos del món.

La Torre de Londres.

En Ben es va quedar perplex.

Algú estava intentant robar

les *joies de la Corona*?

24

DONG!

En Ben es va enfilar a un contenidor per poder pujar a l'alt mur de pedra que envoltava la Torre de Londres. Va contemplar el castell medieval il·luminat de nit. No havia estat allà d'ençà que l'àvia i ell havien intentat robar les *joies de la Corona*.

En Ben va travessar el fossat i va escalar el segon mur. Després, va saltar a l'interior i va anar de puntetes fins al Waterloo Block, on hi havia la Casa de les Joies.

El castell a la riba del riu Tàmesi està format per diferents edificis sumptuosos. Hi ha:

La Capella Reial de Saint Peter ad Vincula
Traduït del llatí, significa «Sant Pere encadenat». És el lloc de sepultura d'un dels presoners més famosos executats a la Torre, així com d'una de les esposes més malaurades del rei Enric VIII, Anna Bolena.

Waterloo Block
Antigament uns barracons, ara l'edifici és la Casa de les Joies. Es tracta de la cambra cuirassada on es guarden les joies de la Corona.

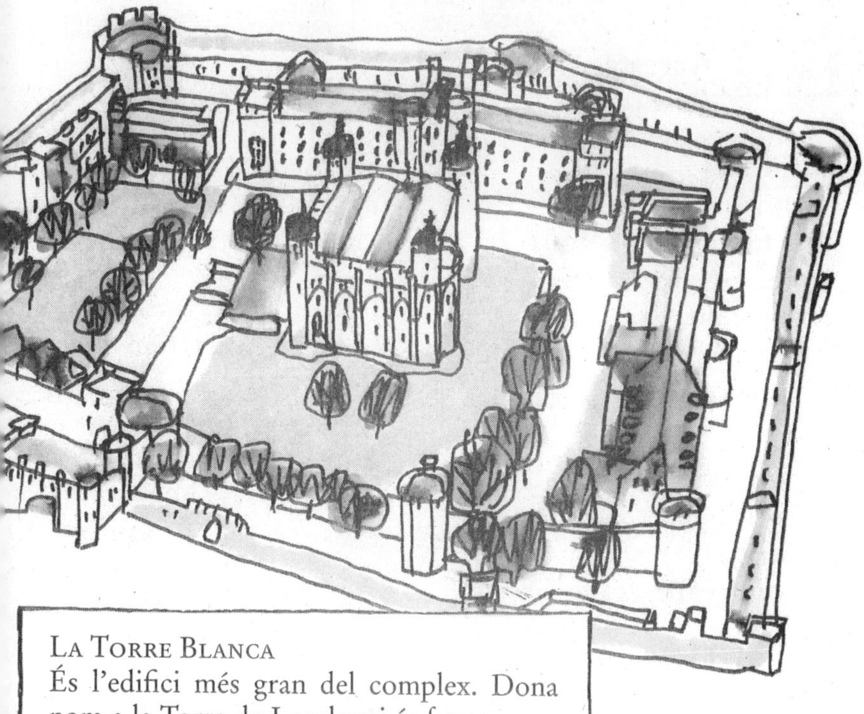

La Torre Blanca
És l'edifici més gran del complex. Dona nom a la Torre de Londres i és famosa per haver sigut una presó des del 1100 fins al 1952.

La Torre de Londres estava vigilada per uns guàrdies especials, coneguts com a Beefeaters (que literalment vol dir «menjadors de carn»). Se'ls va posar el sobrenom de Beefeaters perquè, segons diu la llegenda, els pagaven amb carn de vedella! Es podien reconèixer de seguida perquè anaven vestits així:

Tradicionalment, aquests són els soldats encarregats de custodiar les *joies de la Corona* per la monarca.

Malgrat que encara anava disfressat d'iceberg, en Ben va aconseguir moure's entre les ombres sense ser detectat. Just quan arribava a la Casa de les Joies, va sentir que els Beefeaters es posaven a parlar.

—Alto! Qui hi ha?

—Les claus.

—Les claus de qui?

—Les claus de la reina Elisabet.

—Passeu, claus de la reina Elisabet. Tot correcte.

Després, en Ben va sentir uns peus marxant sobre les llambordes...

CLOP! CLOP! CLOP!

... abans que els guàrdies tornessin a parlar entre ells:

—Déu salvi la reina Elisabet.

—Amén!

Tot seguit, va sonar el rellotge repicant deu vegades.

DONG! DONG! DONG! DONG! DONG! DONG! DONG! DONG! DONG!

En Ben va donar una ullada a la Casa de les Joies. La figura *misteriosa* havia baixat escalant pel mur de l'edifici i ara estava forçant una finestra. Fos qui fos, ho havia cronometrat perfectament! Havia fet servir la Cerimònia de les Claus dels Beefeaters, que té lloc cada nit just abans de les deu en punt, com a distracció.

En Ben va anar de puntetes cap al mur de la Casa de les Joies i es va enfilar per la canonada fins a la

finestra que la figura havia forçat. Un cop a dins, va baixar les escales de pedra que conduïen a la planta baixa, on hi havia exposades les *joies de la Corona*.

La figura emmascarada era al davant de la vitrina de vidre que guarda les *joies de la Corona*, amb un cartutx de dinamita a la mà. La dinamita era l'únic explosiu capaç de trencar aquell vidre tan gruixut. La figura devia intentar robar les joies!

Hi ha moltes *joies de la Corona*, però les més famoses són:

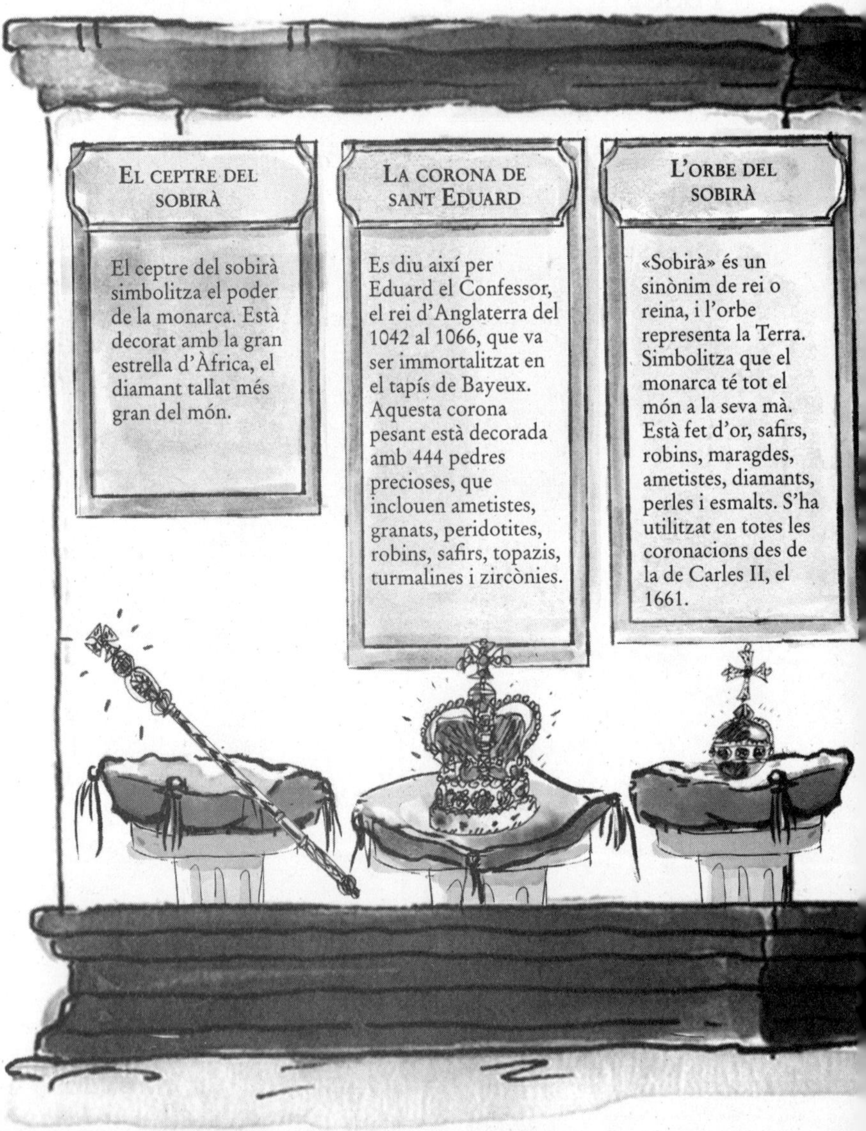
EL CEPTRE DEL SOBIRÀ
El ceptre del sobirà simbolitza el poder de la monarca. Està decorat amb la gran estrella d'Àfrica, el diamant tallat més gran del món.
LA CORONA DE SANT EDUARD
Es diu així per Eduard el Confessor, el rei d'Anglaterra del 1042 al 1066, que va ser immortalitzat en el tapís de Bayeux. Aquesta corona pesant està decorada amb 444 pedres precioses, que inclouen ametistes, granats, peridotites, robins, safirs, topazis, turmalines i zircònies.
L'ORBE DEL SOBIRÀ
«Sobirà» és un sinònim de rei o reina, i l'orbe representa la Terra. Simbolitza que el monarca té tot el món a la seva mà. Està fet d'or, safirs, robins, maragdes, ametistes, diamants, perles i esmalts. S'ha utilitzat en totes les coronacions des de la de Carles II, el 1661.

En Ben va contemplar amb horror com la figura encenia la metxa del cartutx de dinamita.

FSSS!

Allò explotaria al cap de pocs segons!

Quan la figura va deixar la dinamita a la vora del vidre, en Ben va cridar des de les ombres:

—No, sisplau!

—Qui hi ha aquí?

En Ben hauria reconegut aquella veu a qualsevol lloc.

Era *Sa Majestat la reina!*

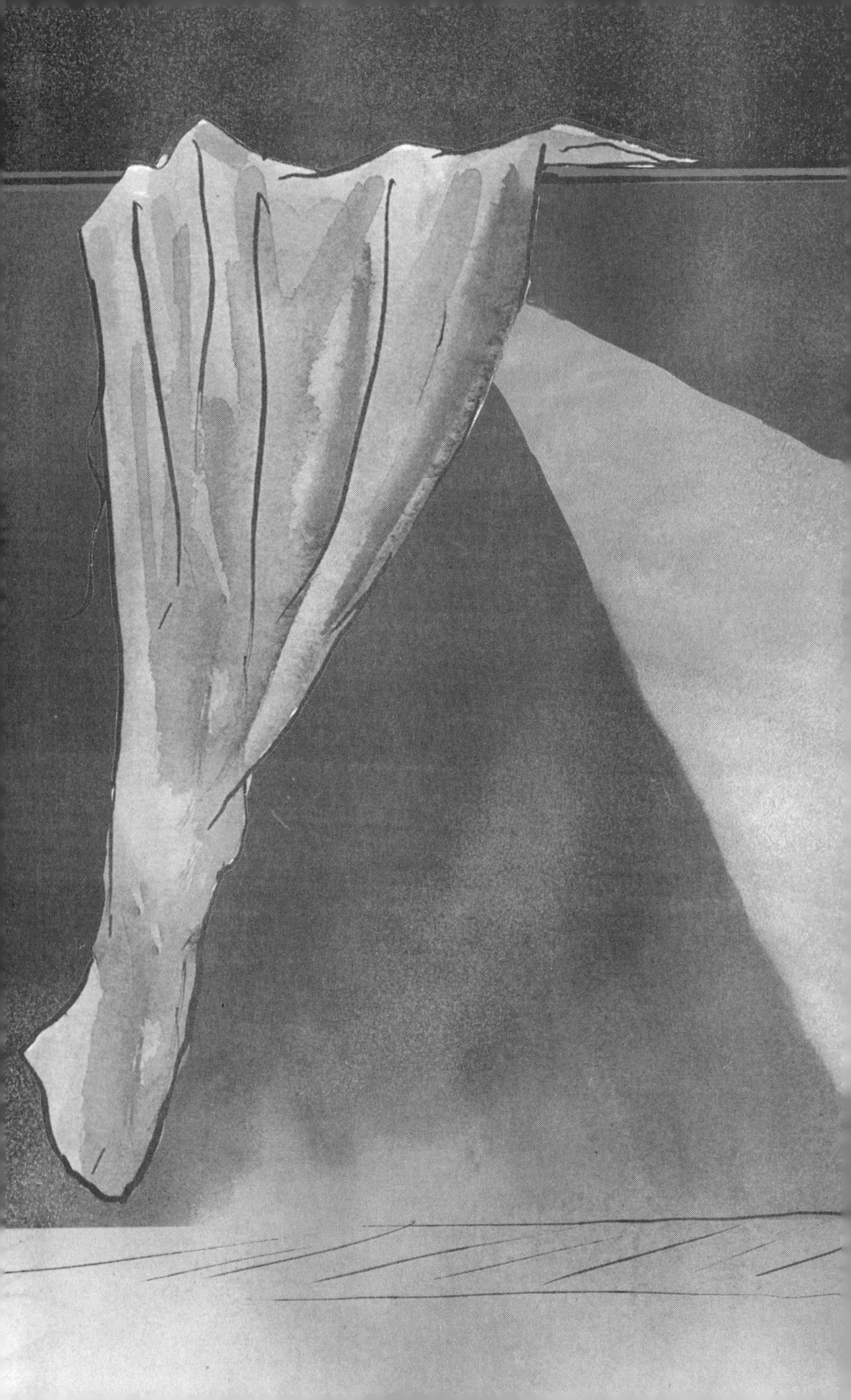

TERCERA PART

EL SECRET DE TOTS ELS SECRETS

25

DINAMITA!

—ALTO! QUI HI HA? —va preguntar la reina, mentre es girava i es treia la màscara.

En Ben va sortir de les ombres, tremolant com una fulla per l'ensurt. Per què la reina volia robar les seves pròpies *joies de la Corona*? Això era completament de BOJOS!

—S-s-soc jo, Sa M-m-majestat, en Ben —va balbucejar—. En-n-ns vam conèixer en aquesta mateixa sala fa un any amb la meva àv-v-via.

—Així fou —va contestar la reina amb altivesa, referint-se a ella mateixa en tercera persona—. Aquella nit tots dos fóreu perdonats per servidora. Vau pensar que tornaríeu una altra nit a provar sort, oi? I per què vas vestit com un iceberg?

FSSS!

—Sa Majestat! El cartutx de dinamita!

La reina va mirar amb sorpresa la metxa que es consumia.

—Oh, verge santa! —va exclamar, i va començar a bufar i bufar la metxa.

BUF! BUF! BUF!

—No s'apaga! SOCORS!

FSSS!

En Ben s'hi va acostar i també va començar a bufar.

BUF! BUF! BUF!

Però per molt que bufaven, la flama no s'apagava.

—Què farà, ara, servidora? —va exclamar la reina.

—Llançar el cartutx per la finestra? —va suggerir en Ben—. Segueixi'm!

Tots dos van córrer de nou escales amunt cap a la finestra oberta.

La reina estava a punt de tirar el cartutx de dinamita daltabaix, quan va mirar cap avall i va veure els seus guàrdies.

—Hi ha els Beefeaters de servidora! —va xiuxiuejar.

—Anem a l'altra finestra! —va suggerir en Ben.

FSSS!

Van córrer cap a una finestra que hi havia a la banda oposada de la Casa de les Joies, però quan la reina hi va treure el cap, va cridar:

—Els corbs!

—Corbs?

El noi va mirar avall cap al petit gabial on els característics ocells negres estaven dormint.

—Servidora no pot pas fer explotar els corbs!

—No! Però si no s'afanya a tirar el cartutx a algun lloc, serem nosaltres els que explotarem!

FSSS!

Van córrer cap a una altra banda de l'edifici i van obrir una finestra. Allà hi havia un arbre molt frondós.

—Tiri'l! Ara mateix! —va suplicar en Ben.

FSSS!

La reina va mirar per la finestra.

—Oh, hi ha un esquirolet en aquest arbre! Mira! Servidora no s'ho podria perdonar mai!

—A aquest pas, no estarà pas viva per perdonar-s'ho!

FSSS!

Quedava una banda de l'edifici per provar. En Ben va obrir l'última finestra i la reina va mirar cap avall.

—Via lliure? —va preguntar en Ben.

Malauradament, Sa Majestat no es veia convençuda.

—Aquí hi ha la botiga de records!

—És mitja nit! No hi ha ningú!

—No, però pensa en tots aquells estoigs en forma de Torre de Londres, en les figuretes de plàstic de Beefeaters i en les caríssimes caixes de llauna de galetes de mantega amb la cara de servidora a la tapa!

—Doni-me'l! —va cridar en Ben. Dit això, va agafar el cartutx de dinamita de la mà de la reina—.

Si no ho recordo malament, hi ha un vàter vell al soterrani.

—Com ho saps, això?

—Gràcies a **EL SETMANARI DEL LLAUNER**! No l'ha llegit mai?

—Servidora no pot pas dir que hagi tingut aquest plaer —va contestar la reina, tal com es podia esperar.

—Van fer una edició especial sobre «Vàters a través dels segles».

—Oh! Servidora potser l'hauria de llegir —va dir, no del tot convençuda.

FSSS!

La metxa del cartutx de dinamita estava a punt d'acabar-se. Li faltaven pocs segons per arribar al final.

—Val més que es cobreixi, senyoria!

—Gràcies. Però és senyora «senyora», no «senyoria»!

—Ara mateix, tant me fa! —va cridar en Ben, mentre baixava les escales a tot drap per buscar l'antic vàter del soterrani.

FSSS!

Va veure un rètol en una porta de fusta que deia «EXCUSAT REIAL».

En Ben va llançar el cartutx de dinamita a dins del vàter vell i va estirar la cadena amb totes les seves forces.

XUFFF!

Al cap d'un parell de segons, es va sentir el terrabastall d'una explosió sota terra.

BARRABUUUM!

26

AIGUA DEL VÀTER

L'aigua del vàter va explotar als nassos d'en Ben.

XAAAFFF!

Va quedar xop de cap a peus, i llavors encara tenia un aspecte més ridícul.

—HA! HA! HA! —va riure la reina.

—Oh, molt bé! O sigui que quedar xop amb aigua de vàter és divertit, oi? —va rondinar en Ben.

—Mira, trobo que sí! Ha! Ha! Ha!

Les rialles de la dona s'encomanaven, i al cap d'un moment en Ben també es petava de riure.

—Ha! Ha! Ha!

—Ha! Ha! Ha! Quin riure! —va exclamar la reina—. Ves a saber què en pensaran els Beefeaters d'aquest terrabastall!

—Potser s'han pensat que algú tenia una bona diarrea!

—Ha! Ha! Després d'un banquet reial superpicant! —va afegir ella.

—Ha! Ha! No sabia pas que fos tan divertida!

—Hi ha moltes coses que no saps de servidora, jovenet.

—I tant! De fet, m'he quedat absolutament sorprès de veure-la aquí. Per què estava robant les seves pròpies *joies de la Corona*?

—Servidora ha preguntat abans —va replicar ella.

—Ah, sí?

—Sí. Què ho fa que vas vestit com un iceberg?

—Ah, d'acord. Sí, m'ho ha preguntat. És que estava participant en el campionat de **balls de saló**.

—Servidora deu haver marxat abans de la teva actuació.

—La meva mare feia de Titanic!

—Verge santa! —va exclamar—. Servidora ha hagut d'aguantar alguns actes fatals en un moment o altre, però un número de **balls de saló** sobre l'enfonsament del Titanic és el súmmum!

—Així, s'ha escapolit de la llotja i hi ha deixat la seva figura de cera!

—Com ho saps que era la figura de cera?

—És que m'he enfilat a la llotja reial!

—Oh, no. Presenciar el campionat de ball havia de ser la coartada perfecta. Servidora no podia pas ser a dos llocs alhora: al Royal Albert Hall i a la Torre de Londres. Així ningú no sospitaria de mi!

En Ben estava mirant d'encaixar totes les peces mentalment.

—Així, VOSTÈ és al darrere de tots aquests robatoris? La màscara de Tutankamon, la **COPA DEL MÓN** i, és clar, la seva figura de cera!

—Com ho saps que servidora és al darrere dels altres robatoris? —va preguntar la reina—. Vinga, digues, noi!

—Miri! —va contestar en Ben, ensenyant-li la peça de **SCRABBLE**—. Vaig trobar això al Madame Tussauds!

—Aiiixxx! —va exclamar la reina.

—No pateixi. A la policia li va passar per alt.

—Servidora es preguntava on havia perdut la Z! Mira, precisament ara volia deixar aquesta petita pista aquí, però llavors has arribat tu! —Es va treure unes lletres de **SCRABBLE** i les va ordenar a sobre la taula.

—Estan fetes de porcellana, oi? —va preguntar en Ben.

—**SCRABBLE** va regalar un joc fet a mida a servidora per al Jubileu de plata!

—Les peces per a la gent normal com jo són de plàstic!

La cara de la reina es va tornar blanca de cop.

—De debò?

—Sip!

—Oh, no. No. No. No. Servidora no ho sabia. Jo mateixa m'he delatat, oi?

—Exacte!

—Però la policia no es deu pas imaginar que servidora és la propietària d'aquest joc de **SCRABBLE**.

—No. Encara no!

—Oh, no. Si ho descobreixen, servidora es ficarà en un bon embolic.

—Un dels grossos.

La reina va respirar fondo abans de mussitar:

—Servidora ha d'arreglar tot això.

—Puc fer una pregunta? —va dir en Ben.

—Normalment, no és permès de fer una pregunta

directa a la monarca, però en aquest cas servidora farà una excepció —va contestar la reina amb altivesa.

—Per què va vestida com la meva àvia? —va preguntar en Ben.

De sobte, la reina va semblar emocionada.

—Servidora ha de confessar que va «manllevar» la deliciosa idea de la teva àvia de tenir una identitat secreta! Servidora desitjava poder ser el **GAT NEGRE**, també. Per cert, on és avui la teva àvia?

A en Ben se li va entristir l'expressió. Immediatament, la reina va saber quin n'era el motiu. L'àvia s'havia mort.

—Oh, a servidora li sap molt de greu, Ben —va dir la reina.

—A mi també —va respondre en Ben.

—Servidora diria que la teva àvia t'estimava molt.

—I jo l'estimava a ella.

—L'únic que quedarà de nosaltres és l'amor —va dir la reina.

—Fins i tot de vostè?

—Fins i tot de servidora.

—Però vostè és una reina!

—LA reina! —el va corregir ella, de broma, amb un espurneig de picardia als ulls.

—Però vostè és LA reina! —va tornar a dir en Ben.

—Així millor! L'únic que importa a la vida és estimar molt i rebre amor a canvi. Tant és si ets un príncep o un pobre.

—L'àvia i jo ens estimàvem moltíssim —va dir en Ben, començant a somicar.

La reina se li va acostar i el va abraçar.

27

MOCADOR BRUT

—Oh, Ben! Servidora no et volia pas fer plorar —va dir la reina, abraçant-lo ben fort.

—Són llàgrimes d'alegria! —va balbucejar entre sanglots.

—De debò?

—De debò! —En Ben va provar d'eixugar-se les llàgrimes amb la màniga, però va ser impossible amb aquella disfressa d'iceberg de cartró.

—Té —va dir la reina, mentre es treia un mocador brut de dins la màniga.

—Porta un mocador brut a dins de la màniga!

—És clar. Totes les àvies ho fan. És la norma.

La reina li va eixugar les llàgrimes dels ulls. Després, no es va poder estar de tirar una mica de saliva al mocador i netejar-li la cara al noi.

—Pfu!

—Ecs! —va rondinar en Ben.

—Perdona, és el costum. Encara ho faig als fills de servidora. No ho suporten! Especialment quan som tots a la balconada del palau de Buckingham!

En Ben va riure imaginant-se la situació, i llavors va dir:

—Però Sa Majestat, encara no ha respost la meva pregunta. Per què ha vingut aquesta nit a la Torre de Londres a robar les seves *joies de la Corona*? Això no té ni cap ni peus!

La reina va somriure.

—Tens idea de com és ser la reina?

—No, ni idea!

—Tot el dia somrient, saludant, donant la mà, tallant cintes, assistint a balls, sent el centre d'atenció des de dins d'un cotxet gegant...

—Un cotxet gegant? —va exclamar en Ben.

—Servidora vol dir el carruatge. Com aquell amb què anem a l'hipòdrom d'Ascot. Semblem nadons refinats allà dins!

—Ah, sí! —va contestar en Ben.

—Molta parafernàlia i molt poca diversió!

En Ben es va gratar el cap abans de preguntar:

—Així, és per això que s'ha convertit en el nou **GAT NEGRE**?

—Bé, sí. Una mica de canvi de professió, potser. De reina a lladre. He viscut una llarga vida a la reialesa. Servidora **necessitava trencar**. Fer alguna bestiesa!

—Però això? —va dir en Ben—. I si l'enxampen?

—Forma part de l'emoció!

—El món s'enfonsaria, si la gent sabés que la reina és una lladre de joies internacional!

—No t'ho pensis pas! —va replicar la reina.

—Suposo que sempre es podria perdonar vostè mateixa.

—És veritat. Servidora no hi havia pensat, en això. Molt espavilat! De la mateixa manera que la teva àvia va inspirar servidora a convertir-se en una lladre de joies internacional, també va inspirar servidora a tornar-les.

—Gràcies a Déu —va respondre en Ben.

—Això és superimportant. No cal que et digui que està mal fet, això de robar.

—Però és divertit, oi? —va preguntar en Ben, descarat.

—Bé, sí. Divertit, però mal fet. Molt mal fet, si no tornes el que has robat. Que és precisament el que servidora tenia pensat fer des de bon principi. Però hi ha un problema.

—Només un? —va fer en Ben amb un somriure.

—D'ençà dels robatoris, el Museu Britànic i l'estadi de Wembley han reforçat els seus sistemes de seguretat. I servidora ha d'actuar ràpid per tornar els objectes robats, abans que la policia s'acosti massa a la pista de les peces de **SCRABBLE**!

—Jo la puc ajudar —va dir en Ben.

—Per què vols ajudar-me?

—Perquè serà divertit. I perquè em pensava que seria molt arrogant i tocada i posada perquè és la reina, però no ho és gens.

—Gràcies, noi!

—Em cau bé —va dir en Ben amb un somriure.

—I a servidora també li caus bé —va contestar, i tot seguit es va quedar mirant el noi amb desconfiança—. No deus pas esperar un títol de cavaller a canvi, oi?

—No. Sir Ben Herbert sona ridícul! Només vull agrair-li que fos tan amable amb la meva àvia i amb mi.

—D'una àvia a una altra! Totes dues **gàngsters** en el fons.

—Qui ho havia de dir, que la reina era una **àvia gàngster**...

Just en aquell moment van sentir la dringadissa de claus a l'altra banda de la porta de la Casa de les Joies.

DRINC! DRANC!

Després, una clau girant al pany.

CLIC!

I la porta es va obrir.

NYEEEC!

—Beefeaters! —va xiuxiuejar la reina—. Ningú no pot veure servidora aquí!

—Bé, doncs val més que fugim.

En Ben va agafar la reina per la mà i van pujar de puntetes per les escales. Quan els Beefeaters van enfocar les llanternes a la vitrina de les *joies de la Corona* per veure què havia passat a l'interior de la Casa de les Joies, la parella es va esquitllar per la porta oberta i va sortir cap a fora.

En aquell instant, es va disparar una alarma eixordadora.

RIIING!

Els focus es van encendre de cop.

La reina i en Ben es van mirar, horroritzats.

—Deuen saber que érem aquí dins! —va exclamar en Ben.

—Servidora s'ha deixat les lletres de l'**SCRABBLE**! Que ximple!

—Oh, no.

—Saps alguna via de sortida? —va preguntar ella.

—Ha estat mai en una claveguera?

—Servidora no pot pas dir que sí. Però sempre és bo provar coses noves!

—Doncs segueixi'm! —va exclamar en Ben, mentre l'estirava per allunyar-la de l'escena del crim.

28

COSES DESAGRADABLES

Ara que s'havia disparat l'alarma, la Torre de Londres era un eixam de Beefeaters!

Els antics soldats armats amb llances conversaven a crits en la foscor de la nit.

—ALTO! QUI HI HA?

—L'entrada de les clavegueres ha de ser aquí a prop! —va xiuxiuejar en Ben.

—Però on? —va preguntar la reina, molt espantada.

En Ben va mirar a terra. La reina estava just a sobre d'una tapa de claveguera m.

—És un geni! —va exclamar en Ben.

—Ah, sí?

—Miri a terra!

—Oh, és veritat!

Tots dos es van ajupir i van començar a fer palanca per aixecar la feixuga tapa de metall amb els dits. Just quan van sentir les sirenes de la policia i el grinyol dels pneumàtics de cotxe...

NI-NO! NI-NO! NI-NO!

NYIIIIIIIIIC!

... en Ben va exclamar:

—Vostè primer, senyora!

La reina va donar una ullada al forat fosc i brut.

—No! No! Tu primer!

El noi va saltar i llavors va oferir la mà a la reina. Un cop a dins, entre tots dos van tornar a col·locar la tapa, i just llavors van sentir que algú hi passava corrents per sobre.

CLONC! CLONC! CLONC!

Ara eren a l'antiga canonada d'aigües residuals que anava des de la Torre de Londres fins al riu Tàmesi.

—Espero que sàpiga nedar, Sa Majestat! —va dir en Ben, i la veu va fer eco dins la canonada de pedra.

—Fa uns quants anys que servidora va guanyar la medalla dels cinquanta metres lliures, però farà tot el que pugui!

Hi havia tota mena de coses desagradables allà a baix:

I el pitjor de tot... **MERDA DE FEIA CENT ANYS!**

—Servidora ara entén per què no inclouen les clavegueres a la visita guiada per la Torre —va comentar la reina.

—Tapi's el nas, senyora!

—Que divertit! —va dir la reina, que feia una veu força ridícula amb el nas **tapat**.

Al cap de poc, la parella ja tenia l'aigua marró fins als turmells.

Després fins als genolls.

Després fins a la cintura.

Després fins al pit.

Després fins al coll.

Havien arribat al final de la claveguera. A partir d'allà hi havia el riu Tàmesi.

—Tanqui els ulls i aguanti's l'aire! —va ordenar en Ben.

—Verge santa dels set dolors!

Agafant ben fort la mà de la reina, en Ben es va llançar a l'aigua freda.

Tots dos junts van nedar per sota l'aigua fins que finalment van sortir a la superfície del riu.

—AAAH!

—AAARF!

Tots dos van agafar aire mentre els seus caps suraven seguint el moviment de les onades.

—Ho hem aconseguit! —va exclamar en Ben.

—I servidora no s'havia sentit mai tan viva! —va esgaripar la reina.

Era mitja nit i, per tant, al riu Tàmesi no hi havia vaixells. Excepte un. Una llanxa de la policia que es dirigia a tot drap cap a ells.

BRRRUUUM!, va fer el motor.

La llanxa rebotava amunt i avall amb les onades mentre la sirena no parava de sonar.

BOING! BOING! BOING!

NI-NO! NI-NO! NI-NO!

Anava tan ràpid que era impossible que en Ben i la reina se'n poguessin escapar.

—Estem acabats! —va cridar ell.

—Amaguem-nos sota l'aigua! —va suggerir la reina.

—Però la llanxa ens passarà per sobre!

—Tens raó! Estem acabats! Excepte que...

—Excepte què?!

—Bé, doncs que servidora s'amagui darrere teu, i tu acotis el cap.

—I?

—Doncs que es pensaran que ets un tros de porqueria surant a l'aigua!

—És veritat!

De fet, encara va funcionar més bé que això. Quan la llanxa de la policia ja era gairebé a sobre d'ells, un dels agents va cridar:

—ICEBERG!

Tots els agents a bord van xisclar.

—AAAH!

—NOOO!

—RECORDEU EL TITANIC!

—ELS AGENTS MÉS GRANS PRIMER!

—NO TENIM PAS BOT SALVAVIDES!

La llanxa va fer un gir dramàtic per esquivar l'«iceberg» i va accelerar per marxar per allà on havia vingut.

—Quina sort! —va exclamar la reina.

—Sabia que aquesta disfressa estúpida que em va fer la mare seria útil per a alguna cosa —va dir en Ben.

Junts van travessar nedant el Tàmesi i van aconseguir arribar a l'altra riba. Sense dir-se res, tots dos van mirar cap a la Torre de Londres. El castell estava bullint d'activitat. A sobre, hi planava un helicòpter de la policia amb un focus molt potent.

NYIIIC!

No paraven d'arribar cotxes de policia a l'escena dels fets, amb les sirenes a tot drap.

NI-NO! NI-NO! NI-NO!

—Què fem, ara? —va preguntar en Ben.

—Servidora ha de tornar al palau de Buckingham —va respondre la reina.

—Per què?

—És on hi ha amagada la màscara de Tutankamon i la **COPA DEL MÓN**.

—On?

—Sota el llit de servidora.

—Jo no hi amago mai res, a sota el llit! —va dir en

Ben—. Seria el primer lloc on mirarien el pare i la mare!

—Bé, servidora és la reina, te'n recordes? Ningú no mira sota el llit de servidora sense permís.

—És clar. Però el palau de Buckingham és a l'altra banda de Londres! Com hi arribarem?

—Portes diners? —va preguntar la reina.

—Nop. No me n'he pas endut quan he sortit de casa.

—Servidora tampoc. Però bé, servidora és la reina! No en porta mai!

—Tot i que en té molts!

—Precisament per això.

—Té un abonament del bus?

—No —va respondre la reina—. Tot i que servidora és prou gran per viatjar de franc, i sempre li ha fet gràcia anar amb bus. És tan encisador com sembla?

—No. No és gens encisador. És un bus!

—Oh. Així servidora no s'ha perdut res de bo?

—En absolut! Va, comencem a caminar.

—Perfecte! Com més aviat ens hi posem, més aviat arribarem! —va contestar la reina.

Tanmateix, tot just començar a fer camí, va aparèixer un cotxe de la policia i es va aturar davant seu.

NI-NO! NI-NO! NI-NO!

NYIIIIIIC!

—Ostres! —va exclamar la reina.

29

EL RETORN D'EN FUDGE

Per si les coses no havien sigut prou complicades, qui més podia baixar del cotxe, sinó la inconfusible figura rodanxona de l'agent Fudge!

—Caram, caram, caram, què hi tenim, aquí? —va dir, mentre s'acostava feixugament a la parella.

En Ben va mantenir el cap cot perquè el policia no el reconegués. Mentrestant, la reina es va col·locar darrere de la disfressa de cartró d'en Ben, tota desintegrada. Feien cara de sentir-se culpables, cosa que va fer desconfiar encara més l'agent Fudge.

—Caram, no m'ho puc creure! Benjamin Herbert! Ens tornem a trobar!

—Oh! Hola, agent Fudge —va contestar el noi—. M'alegro molt de tornar-lo a veure —va mentir.

—Ja ho veuràs quan la teva mare ho sàpiga! Rondant a altes hores de la nit quan representa que estàs castigat!

—Ho estava! Però al final vaig accedir a ser la seva parella de **ball de saló** al Royal Albert Hall.

—Sí, prou que m'he assabentat del que ha passat allà a través de la ràdio de la policia —va dir en Fuge, llançant una mirada de desaprovació al noi.

—M'he ficat en un embolic, oi?

—L'embolic més embolicat que hagis vist mai!

—Ups —va fer en Ben.

—Ups, ja ho pots ben dir. I qui t'acompanya avui?

—Una vella amiga *cockney* de l'estimada ciutat de Londres! Sisplau, no faci cas de servidora —va contestar la reina, intentant no semblar, bé..., la reina!

—Em sona aquesta veu! —va exclamar en Fudge. El policia va apartar el noi per poder veure més bé la dona—. *Sa Majestat!* —va dir, i es va desplomar de genolls als seus peus.

—Oh, sisplau, no s'agenolli! —li va etzibar—. Servidora no suporta la gent que s'humilia!

En Fudge va fer un esforç per aixecar-se, però no va poder. Les seves cames ja no eren com abans.

—Li sabria greu...? —va suplicar.

Tot seguit, en Ben i la reina van ajudar en Fudge a posar-se dret.

—Molt millor! —va mussitar—. A veure, Sa Majestat, que l'estava molestant aquest noi? Perquè no em faria res detenir-lo i tancar-lo a la presó per sempre més!

—No! No! No caldrà pas! De fet, aquest noiet m'ha salvat perquè m'estava ofegant!

—Ah, sí? —va preguntar en Ben.

—Sí! És clar!

—És clar! —va afirmar en Ben.

—Oh! Ja ho veig que va ben xopa! —va observar en Fudge—. Tingui! Posi's la meva jaqueta!

Dit això, se la va treure ràpidament i la va posar amb suavitat sobre les espatlles de la reina.

—Molt agraïda! —va dir ella.

—Però com l'ha salvat aquest noi? —va preguntar en Fudge.

—Sí, com l'he salvat? —va preguntar en Ben.

La reina es va posar una mica nerviosa.

—Bé, eeeh, resulta que he caigut al riu.

—Ha caigut al riu, senyoria? —va exclamar en Fudge. Se'n feia creus.

—És senyora «senyora», no «senyoria» —va aclarir en Ben.

—Ha caigut al riu, senyoria? Perdó, senyora!

—Sí! —va respondre la reina—. Servidora tornava cap a casa després de veure el concurs de **balls de saló** al Royal Albert Hall i ha demanat al xofer que s'aturés un moment per, eeehm...

—Comprar un **kebab**? —va suggerir en Ben.

—Sí, bona memòria, noi —va dir la reina.

—Un **kebab**? —va preguntar en Fudge, tan sorprès que semblava que li hagués d'agafar un atac.

—Sí! Un **kebab**! —va contestar—. I servidora volia seure a la vora del riu i gaudir de l'esmentat **kebab**.

—Perquè el xofer no li permet menjar a dins del Rolls-Royce —va afegir en Ben.

—Exacte!

—El pare i la mare fan el mateix amb mi!

—Els meus pares també! —va dir en Fudge, afligit.

—Doncs bé, servidora ha anat a passejar per la riba, ha ensopegat i ha caigut. Xof! Aquest noi, que per sort anava disfressat d'iceberg, s'ha tirat a l'aigua i ha salvat servidora!

En Fudge va processar tota la informació.

—Què ha passat amb el **kebab**?

—He intentat salvar-lo —va respondre en Ben—, però al final s'ha enfonsat.

—Enterrament al mar —va dir la reina, fingint una salutació militar al pobre **kebab** enfonsat.

—Oh, que trist —va mussitar en Fudge, visiblement trasbalsat—. M'asseguraré que s'abandoni la investigació policial sobre les accions d'aquest jove valent al Royal Albert Hall aquesta nit.

—Gràcies, agent Fudge —va dir en Ben.

—Sa Majestat, sisplau, permeti'm que li compri un altre **kebab**! Serà un honor!

—És molt amable, però no cal! —va contestar la reina.

—Insisteixo, Sa Majestat! La veritat és que jo també tinc una mica de gana. M'aniria prou bé un **kebab**!

—M'hi apunto! —va exclamar en Ben.

—Bé, doncs, prou de xerrameca i som-hi! —va anunciar la reina—. Cap a la botiga de **kebabs**! I ràpid!

30

ABRA KEBABRA

Va ser emocionant travessar Londres de nit a dins d'un cotxe de policia a tot drap. En Fudge fins i tot va posar la sirena i els llums blaus intermitents per fer una gràcia.

NI-NO! NI-NO! NI-NO!

Comprar un **kebab** a altes hores de la nit no era una emergència, per molta gana que tinguessin, però en Fudge duia *Sa Majestat la reina* al seient del darrere, i volia presumir.

—Li he comprat un dóner **kebab** amb salsa picant, Sa Majestat —va anunciar en Fudge, mentre s'asseia al davant i passava la bossa de menjar cap al darrere. L'aroma intensa del menjar per emportar va inundar de cop l'interior del vehicle.

—Gràcies, bon home —va dir la reina—. Em penso que s'ha descuidat la coberteria.

—El què? —va preguntar el policia.

—I la porcellana fina!

—Sa Majestat, els dóner **kebabs** no es mengen en un plat amb forquilla i ganivet —va explicar en Ben, mentre desembolicava el seu.

—Ah, no? Així, com es consumeix el dóner **kebab**?

—Amb les mans!

—Que divertit! —va dir la reina, que tot seguit hi va fer una gran queixalada, i en va sortir un rajolí de salsa disparada cap a la cara d'en Fudge.

NYAM!

XOF!

En Ben es va posar a riure.

—HA! HA! HA!

—Ups! —va dir la reina—. Em penso que té una mica de salsa picant a la cara.

—No pateixi, Sa Majestat, després me la menjaré! —va contestar en Fudge—. Per cert, crec que ha sigut una sort que es quedés a dins del cotxe. El propietari de la botiga de **kebabs** tenia una fotografia seva penjada a la paret.

—Quina meravella! Servidora s'ha de recordar d'aquest lloc —va dir, i es va inclinar per poder llegir-ne el rètol—. **«Abra kebabra»!** és fàcil de recordar. Servidora hi telefonarà per veure si podrien fer el càtering del pròxim casament reial!

—On anem ara, Sa Majestat? —va preguntar en Fudge, mentre es llepava les restes de salsa del voltant de la boca.

—Servidora no pot pas tornar al palau de Buckingham d'aquesta manera! —va dir, assenyalant la disfressa de **GAT NEGRE** tota humida, i ara amb trossets de xai, tomàquet, enciam, col, ceba, cogombre i, per descomptat, salsa picant!—. Què diria el majordom?

—Doncs on anem? —va preguntar en Ben.

—Potser servidora podria venir a casa teva per canviar-se de roba? —va preguntar.

—No! No! No! —va contestar en Ben—. El pare i la mare deuen estar molt enfadats perquè he espatllat l'espectacle de ball.

—Segur que pateixen per tu —va dir ella.

—Vostè no coneix els meus pares. L'única cosa que els preocupa són els **balls de saló**.

—Bé, doncs, on més podem anar? —va preguntar la reina, rumiant.

—La meva mare no em deixa portar més gent a casa —va dir en Fudge—. Vaig fer una festa i ens vam cruspir tot el menjar de la nevera.

—Quants eren? —va preguntar la reina.

—Només jo i l'agent Cake.

—Oh.

—Li agrada molt menjar, i fins i tot va fer una queixalada a la nevera.

—Ja sé qui ens pot ajudar! —va dir en Ben.

—Qui? —va preguntar en Fudge.

—Sí, qui? —va preguntar la reina.

En Ben va somriure.

—Senyora, coneix una botiga que es diu el Quiosc d'en Raj?

31

EN RAJ CONEIX LA REINA

BRRRUUUM!
NI-NO! NI-NO! NI-NO!

En Ben, l'agent Fudge i la reina van tornar a recórrer Londres en direcció a la botiga d'en Raj a una velocitat estratosfèrica.

El més divertit d'anar en un cotxe de la policia amb els llums parpellejant i la sirena xiulant és que tots els altres vehicles s'aparten i...

no t'has d'aturar als semàfors...

pots fer drecera pel mig d'un parc si et ve de gust...

pots anar en direcció prohibida en carrers d'un sol sentit...

pots avançar absolutament tothom...

pots derrapar a les cantonades...

pots conduir pel carril de l'altra banda...

no has de reduir la velocitat en zones més transitades...

no et poden multar per córrer massa...

i quedes GENIAL!

En Ben i la reina amb prou feines s'havien acabat els **kebabs** quan en Fudge es va aturar amb un grinyol al davant de la botiga d'en Raj.

NYIIIIIIC!

Ara hi havia trossets de **kebab** escampats a terra, als seients, al sostre, a les finestres i pertot arreu.

És més, la parella del darrere havia quedat pàl·lida de cop i tenien la cara d'un to verdós. Menjar durant el viatge més desenfrenat que les muntanyes russes més desenfrenades et feia venir ganes de vomitar. Van estar a punt de caure a terra quan en Fudge va obrir la porta del darrere del cotxe. Es van haver d'agafar l'una a l'altre per arribar fins a la porta de la botiga.

—Jo m'esperaré al cotxe, senyora —va dir en Fudge—. A veure si puc aspirar unes quantes engrunes d'aquestes del **kebab** amb la boca.

Ara ja era molt tard, i en Ben estava segur que en Raj devia ser al llit. Per tant, va cridar cap a la finestra del pis de sobre la botiga.

—Raj! RAJ!

Cap resposta.

—RAJ! RAJ! DESPERTA'T!

Entretant, la reina va trobar una pedra a terra.

—Potser això anirà bé —va dir, i va tirar la pedra contra la finestra.

CRAC!

—Ups! —va fer la reina.

Immediatament, en Raj, vestit amb un pijama de ratlles, va treure el cap per la finestra trencada.

—Qui ha sigut? —va preguntar, sonant molt com un director d'escola—. Ben? Has sigut tu?

—No.

—Doncs qui ho ha tirat?

Es va fer un silenci momentani.

—He dit que qui ho ha tirat?

Al final, la reina va contestar amb un fil de veu:

—Servidora!

—Oh! Servidora, oi?

La reina va assentir.

—Qui s'ha cregut que és? —va etzibar en Raj, mirant l'una i l'altre.

—Raj, és *Sa Majestat la reina*! —va contestar en Ben.

—I tant! I jo soc en Willy Wonka! —va replicar en Raj—. No us mogueu!

Al cap de poc, la persiana metàl·lica es va caragolar cap amunt i en Raj va fer entrar la parella cap a dins.

—No vull que desperteu tots els veïns! —va exclamar.

—Servidora li transmet el seu sentit condol pel vidre trencat —va anunciar la reina.

—A veure, qui és vostè? —va preguntar en Raj.

—Servidora és *Sa Majestat la reina*! —va contestar amb altivesa.

—Això és una broma! Segur que és qualsevol d'aquests de la tele que es disfressen! Deixi'm estirar-li aquest nas fals! —va exclamar en Raj.

—Prou, senyor! —va cridar la reina mentre en Raj li estirava el nas.

—RAJ! PARA! —va suplicar en Ben, empenyent el seu amic—. Ja sé que sembla una bestiesa, però ÉS la reina de debò!

En Raj es va adonar del seu error i de sobte va esbatanar els ulls, esverat.

—Li demano perdó, *Sa Altesa més Reial i Majestuosa*. —Es va agenollar als seus peus—. Sisplau, no em tanqui a la Torre per traïció!

—Oh! Fa molts anys que servidora no ho fa, això! —va contestar la reina, amb els llavis arrufats—. Tot i que podria fer-ho. I ara, aixequi's, sisplau!

—I un **TÍTOL DE CAVALLER**, aprofitant que estic agenollat? —va preguntar en Raj, mentre agafava una xocolatina i la donava a la reina perquè la fes servir d'espasa.

—Cap amunt! —va insistir la reina.

En Raj se la va mirar de dalt a baix.

—Ara que li veig la cara m'he recordat que he de comprar un segell!

La reina va sospirar amb posat cansat i va mirar en Ben, que va arronsar les espatlles.

—Puc oferir a *Sa Altesa Majestuosa* una de les meves ofertes especials? —va continuar en Raj—. Disset sobres de sidral pica-pica pel preu de setze?

Només donaré gratis una gominola de fruita una mica mastegada!

—Aquest home és beneit! —va ser el veredicte de la reina.

—Per això tothom l'estima —va dir en Ben—. Escolta, Raj, la reina necessita la teva ajuda.

En Raj va fer una salutació militar.

—En Raj del famós Quiosc d'en Raj
al seu servei, Sa Majestat!

32

UNA MISSIÓ SUPERSECRETA

Com un coet, en Raj va anar a buscar roba seca per en Ben i la reina. Tanmateix, l'únic que tenia eren les disfresses de Halloween que no havia venut.

—Aquesta és de la seva talla, Sa Majestat —va dir en Raj, donant-li una disfressa de llagosta.

—Servidora no s'ha vestit mai de llagosta. Que divertit! —va dir ella, i va agafar la disfressa des de darrere l'expositor de postals per canviar-se.

Tot seguit, en Raj va agafar una de les disfresses de princesa. Abans de poder dir res, en Ben li va etzibar:

—NO!

—Què vols dir que no? —va preguntar en Raj.

—No vol dir no! Mai, mai a la vida em vestiré de princesa!

—Ai, doncs mira que quedaries la mar de bé! —va implorar en Raj.

—NO!

—Doncs noi, les disfresses de llagosta són massa grans per a tu.

La reina va reaparèixer amb la nova vestimenta.

—Oh, el vermell és ben bé el seu color! —va comentar en Raj.

—Ai, moltes gràcies, senyor Raj. Vinga, Ben. No pots pas anar amb aquesta roba molla, agafaràs una pulmonia!

—Però...

—Res de peròs, Benjamin! Posa't la disfressa! És una ordre de la teva reina!

En Ben va remugar i va desaparèixer darrere l'expositor de postals. Al cap d'un moment en va sortir amb malaptesa. Anava vestit de princesa i amb un posat molt sorrut.

—Saps que t'he dit que quedaries la mar de bé? —va preguntar en Raj.

—Sip.

—Doncs estava equivocat.

Tot seguit, amb el consentiment de la reina, en Ben va explicar tota la història a en Raj. Li van fer jurar que ho mantindria en secret, cosa que ell va fer amb una mà al cor i l'altra sobre un exemplar d'una revista de còmic.

Ara necessitaven la seva ajuda per tornar la **COPA DEL MÓN** i la màscara de Tutankamon al seu lloc.

—Aquí ens fa falta el ***BÒLIT D'EN RAJ***! —va exclamar en Raj.

—Oooh! Va ràpid? —va preguntar la reina.

—No! —va contestar en Ben—. Seria més ràpid anar amb el bus. —Va mirar a través de l'aparador de la botiga i va veure en Fudge llepant el vidre del cotxe—. Ja ho sé! —va exclamar—. Li demanarem el cotxe a aquest policia!

—En Fudge no ho permetria mai això —va contestar la reina—. I a més, ell no pot saber la veritat.

—Bé hi deu haver alguna manera de convence'l! —va dir en Ben.

Tot seguit, la reina va fer entrar en Fudge a la botiga d'en Raj i li va donar ordres.

—A veure —va dir—, agent Fudge, com a lleial i fidel servent a la Corona, servidora necessita que vostè participi en una missió altament perillosa i supersecreta.

Els ulls d'en Fudge es van il·luminar d'emoció.

—Senyora, el meu segon cognom és **«perill»**!

—De debò? —va preguntar en Raj.

—No, és Kimberley.

—No sona exactament igual, oi? —va comentar en Ben.

—Vinga, va, senyors! —va dir la reina—. Fudge! Servidora necessita que es quedi al Quiosc d'en Raj per vigilar totes les llaminadures i xocolatines. Guardi-les amb la seva vida! Ho ha entès?

El policia va donar una ullada a les llaminadures de la botiga d'en Raj. Allò era un tresor per a una persona a qui li entusiasmaven les coses dolces.

—Perfectament, senyora! Si em ve una mica de gana, tinc permís per picar alguna cosa?

—NO! —li va etzibar en Raj.

—SÍ! —va replicar la reina—. Servidora és la reina; per tant, senyor Raj, vostè queda desautoritzat!

I vostè, Fudge, pensi que tot té un límit, és clar. No s'ho cruspeixi tot, ara!

—Em reprimiré tant com pugui, senyora! —va prometre en Fudge, mentre ja s'agafava una bossa de núvols de sucre.

En Raj va grunyir com un gos guardant un os.

—Grrr!

—Fantàstic! Ara servidora necessita les claus del seu cotxe! —va dir la reina, parant la mà amb expectació.

—Les claus del cotxe? —va dir el policia, amb la boca plena de núvols roses.

—Sí. Vinga! Vinga!

—Perdoni, senyora, però no tinc permís per donar les claus del meu cotxe de policia a ningú!

—Les claus!

—No puc!

—Raj! —va dir la reina—. Confisqui-li la bossa de núvols.

El quiosquer va fer per prendre-li la bossa, però abans que en tingués temps en Fudge ja s'havia ficat la mà a la butxaca dels pantalons i n'havia tret les claus del cotxe.

—Moltíssimes gràcies! —va dir la reina, mentre les hi agafava de la mà i sortia de la botiga.

DING!

La reina va seure al volant i en Raj i en Ben, al seient del darrere. Va fer girar la clau i va engegar el motor.

BRUM!
BRUM!

En Fudge s'ho mirava des de l'aparador d'en Raj, ara amb la mà a dins del pot dels caramels de toffee.

—Els toffees no! —va cridar en Raj.

En Ben va mirar per la finestra del darrere. Per un moment, va estar convençut d'haver vist un barret de feltre entremig d'un arbust.

No podia ser...

Era tard.

Molt més tard de l'hora d'anar a dormir d'en Ben.

Segur que la ment li havia fet veure visions.

—Vinga. Ja n'hi ha prou de toffees! —va anunciar la reina—. A veure què pot fer aquest estri!

Dit això, va clavar el peu fins al fons de l'accelerador.

ZAAAS!

El cotxe policial va accelerar enmig de la foscor, endinsant-se cap a una nova aventura.

BRRRUUUM!

33

SET GOSSOS DORMINT

Per ser una senyora gran, la reina era una conductora excessivament ràpida. Al cap d'un moment, el cotxe de policia ja s'aturava amb un grinyol davant de les portes del palau de Buckingham.

NYIIIC!

Un dels guàrdies de la reina va trucar a la finestra i va preguntar:

—Sisplau, em permet veure el seu passi?

—Aquest és el passi de servidora! —va contestar la reina, assenyalant-se la cara.

—*Sa Majestat!* —va contestar, fent una reverència—. Perdoni'm! No l'he reconegut!

—Perdonat!

—Hi havia molta preocupació per veure on era, Sa Majestat.

—Ah, sí?

—Avisaré la policia que ja pot suspendre la cerca, ara que és a casa sana i estàlvia.

—Faci-ho, sisplau.

—Esperàvem la seva tornada fa hores.

—Hi ha una explicació molt simple —va contestar la reina.

—És clar, senyora.

—És que servidora s'ha aturat a comprar un **kebab**!

El guàrdia va quedar esmaperdut.

—Un **k-k-kebab**, senyora? —va balbucejar.

—Sí. Un dóner **kebab**. Era absolutament escrunxideliciós.

—Me n'alegro. I puc preguntar-li per què va vestida de llagosta, senyora?

—Servidora intentava anar d'incògnit! OBRI LES PORTES!

Les reixes es van obrir i el cotxe va entrar al pati d'entrada.

—Uau! És genial ser la reina! —va comentar en Ben.

—Sí. A vegades —va contestar ella.

—On m'he d'apuntar per ser-ho? —va preguntar en Raj.

La reina va somriure i va aparcar davant de l'entrada principal del palau de Buckingham.

Era la matinada i, excepte els soldats que estaven de guàrdia, no hi havia ningú més per allà. Millor, perquè hauria sigut una mica difícil explicar per què la reina arribava tan tard a casa del Royal Albert Hall, vestida de llagosta i conduint un cotxe de policia.

—Ràpid! Anem a buscar el botí i marxem corrents! —va xiuxiuejar.

—Ens hi pot fer una visita guiada? —va preguntar en Raj.

—Avui no! —li va etzibar la reina.

Va fer entrar els seus acompanyants a un dels edificis més famosos del món. De tres segles d'antiguitat, el palau havia sigut la llar de la família reial britànica d'ençà que la reina Victòria havia pujat al tron, el 1837. L'interior era molt sumptuós, tal com es podia esperar.

Pintures a l'oli adornaven les parets

Cortines de vellut

Paper de paret estampat

Llars de foc de marbre

Adorns d'or

Estàtues de bronze

Mobles antics

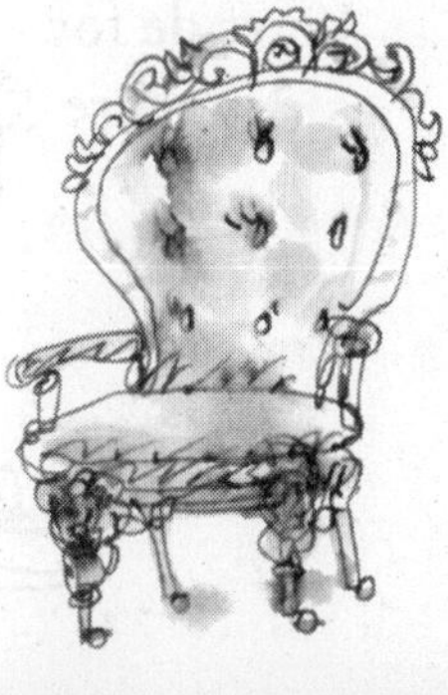

Llibres enquadernats en pell

Pèls de gos pertot arreu

Catifes de seda

—Ja m'imaginava que seria elegant —va dir en Ben, amb els ulls esbatanats de sorpresa—, però no m'hauria pensat mai que seria tan elegant. Això és espaterrant. És **superelegantàstic**!*

—Ai, moltes gràcies!

—Però deveu trigar una eternitat a passar l'aspiradora —va observar en Raj.

—Xxt! No vull despertar ningú!

Tots tres van anar de puntetes pels llargs passadissos, van pujar l'ampla escala i van anar cap a l'habitació de la reina. Era digna d'una reina, cosa que estava molt bé.

* I més paraules inventades. Aquesta vol dir que és molt molt molt molt molt molt molt molt molt i molt elegant.

L'habitació tenia l'aspecte de no haver sofert cap canvi durant dècades. Hi havia un tocador amb un joier de pell antic a sobre. Perfectament disposades en uns prestatges, hi havia tot de fotografies velles en blanc i negre en marcs de plata molt polits. Però el que dominava l'estança era un llit elegant amb dosser de fusta cobert amb un edredó de seda de color crema.

A sobre el llit, en Ben hi va comptar no pas un, ni dos, ni tres, ni quatre, ni cinc, ni sis, sinó set gossos dormint!

Els corgis gal·lesos de la reina roncaven i es tiraven pets tal com solen fer els gossos quan dormen.

—No desperteu els gossos! —va mussitar la reina.

En Raj i en Ben van continuar en silenci i van fer que sí amb el cap.

—Si no, lladraran i despertaran tot el palau!

La reina va tancar la porta darrere seu abans d'assenyalar a sota el llit, on hi havia amagada la màscara de Tutankamon i la **COPA DEL MÓN**. Seria una maniobra ben complicada: com treure els tresors robats de sota el llit sense despertar els set gossos que hi dormien a sobre?!

Com si es tractés d'un joc de taula o d'una atracció en un parc temàtic.

Però no ho era.

Vaja, de moment.

La reina va avançar a poc a poc i es va posar de genolls a terra, fent un gest perquè els altres dos fessin el mateix. Després va alçar l'edredó de seda.

Brillant en la foscor hi havia dos dels objectes més valuosos del món. En Ben i en Raj van estirar els braços i van treure la **COPA DEL MÓN**. La van deixar a terra amb molta cura, a sobre de la catifa de seda.

La reina va somriure i va assentir.

Ara venia la part més complicada. La màscara de Tutankamon pesava molt més, i havien d'estirar tots tres per treure-la de sota el llit. Molt a poc a poc, van aconseguir arrossegar-la fins a la catifa de seda sense fer soroll.

Llavors es van aixecar i van respirar fondo.

PFFFT!

En Ben i en Raj es van espantar. La reina va brandar el cap. No calia patir, només era un altre pet d'un dels gossos. Però llavors els van començar a coure els ulls. Era un pet **SUPERPESTIPUDENT!***

En Ben i en Raj es van mirar amb horror. Aquella pudor era MORTAL! Es pensaven que s'ofegarien. O que es desmaiarien. O les dues coses.

Ara hi havia la necessitat urgent de treure aquells tresors de l'habitació de la reina tan ràpid com fos possible.

* Paraula real creada pel famós autor David Walliams i aplegada en el seu **univers Walliams.**

La reina va agafar la **COPA DEL MÓN** i va fer un gest perquè en Raj i en Ben s'encarreguessin de dur la màscara d'or massís entre tots dos. Però just quan en Raj es va ajupir per agafar-la, es va tornar a sentir aquell so.

PFFFT!

En Raj es va posar vermell de cop. La reina el va mirar amb disgust. No havia sigut un pet d'un dels gossos! Havia sigut un pet d'en Raj!

I va sonar tan fort que va despertar els set gossos de cop.

BUB! BUB! BUB! BUB! BUB! BUB! BUB! BUB! BUB! BUB! BUB! BUB!

No paraven de lladrar.

—Com pot ser que no sentin els seus pets i, en canvi, el meu sí! —va exclamar en Raj.

—XXT! XXT! XXT! —va fer en Ben mirant de calmar els animals. Però com més s'hi esforçava, més bordaven.

BUB! BUB! BUB! BUB! BUB! BUB! BUB! BUB! BUB! BUB! BUB! BUB!

Ara els gossos havien clavat les dents al cul del pijama d'en Raj i el començaven a estirar.

NYAC!

—Al final despertaran tot Londres! —va exclamar la reina—. Cal que marxem d'aquí! I ràpid!

En Ben i en Raj van agafar la màscara i van anar cap a la porta, amb els gossos darrere seu.

BUB! BUB! BUB! BUB! BUB! BUB! BUB! BUB! BUB! BUB! BUB! BUB!

Just quan hi arribaven, es van sentir uns cops forts des de l'altra banda.

PAM! PAM! PAM!

—Perdoni, Sa Majestat! —va dir una veu refinada—. Soc en Majordom el majordom. Va tot bé?

—Sí, gràcies, Majordom! —va contestar la reina.

—Estàvem tots molt amoïnats per vostè. S'ha produït un caos al Royal Albert Hall i hi havia una gran confusió per veure on era Sa Majestat.

—Bé, servidora ja és a casa! Gràcies!

—Ara ja em quedo tranquil, però és tan estrany que vostè torni tan tard...

—M'he parat a comprar un **kebab**!

—Molt bé, senyora. Puc passar, senyora? Estic segur que he sentit unes veus fa un moment!

—Per aquí no podem sortir, hem de passar per una altra banda! —va xiuxiuejar la reina.

—Perdoni, senyora! No l'he entès! —va dir en Majordom.

—Res, Majordom!

—És el seu nom, o la seva feina? —va preguntar en Ben.

—Es diu Majordom i la seva feina és de majordom. És increïblement fàcil de recordar!

BUB! BUB! BUB! BUB! BUB! BUB! BUB! BUB! BUB! BUB! BUB! BUB!

—Alguna cosa no va bé, senyora! —va insistir el majordom Majordom—. Perdoni'm, però ho noto pel seu to de veu. Sisplau, obri la porta ara mateix!

Des de l'altra banda, va fer moure el pom i va clavar un cop d'espatlla contra la porta.

La reina semblava que s'havia quedat sense paraules, de manera que en Raj va parlar fingint la seva veu.

—Tot va la mar de bé i com una seda, majordom el Majordom! —va cridar.

Sonava ridícul!

Llavors, un altre dels gossos va agafar aversió per aquell intrús.

GRRR!

Es va llançar sobre en Raj i li va mossegar el cul.

NYAC!

—AUUU! —va cridar en Raj, de nou amb la seva veu normal—. EL MEU CUL!

—XXT! —va fer en Ben.

Però era inútil.

—SE M'ESTAN MENJANT EL CUL DE VIU EN VIU!

—Vaig a fer sonar l'alarma, senyora! —va cridar en Majordom—. Torno de seguida amb els soldats!

Els seus passos van ressonar passadís avall.

—Vinga, aprofitem-ho per sortir corrents! —va xiuxiuejar la reina.

Va obrir la porta de l'habitació i tots tres en van marxar escopetejats, arrossegant els tresors i amb els set gossos al darrere sense deixar-los de petja.

BUB! BUB! BUB! BUB! BUB! BUB! BUB! BUB! BUB! BUB! BUB! BUB!

—Xxt! —va fer la reina, però era inútil.

Els gossos no paraven de bordar als dos desconeguts, i era força normal, oi? Realment semblaven un parell de lladres enduent-se un botí robat. El problema era que els gossos feien molt xivarri i per culpa seva els soldats sabrien on eren ells tres.

Dalt del sostre, enfilat en un llum d'aranya, hi havia un **gat negre**.

Era possible que fos EL **gat negre**?

—Senyora, vostè té un gat? —va preguntar en Ben.

—No! Per descomptat que servidora no té cap gat. Els gossos el perseguirien dia i nit.

—Doncs de qui és aquell gat que hi ha penjat al llum?

—Com s'hi ha enfilat, allà dalt? —va xisclar la reina.

A mesura que s'hi acostaven, el gat va començar a miolar més fort als gossos per captar-los l'atenció.

Això va fer aturar els gossos en sec, i van quedar en silenci a l'instant. Un gat era una presa molt millor per mossegar que no pas el cul del pijama de qualsevol.

I llavors hi van tornar, i aquest cop encara més fort que abans:

BUB! BUB! BUB! BUB! BUB! BUB! BUB! BUB! BUB! BUB! BUB! BUB!

El gat es va penjar del llum per la cua i va deixar anar un xiulet ferotge:

FFFFFF!

Els gossos van gemegar alhora:

AUUUUUU!

I tot seguit se'n van anar amb la cua entre les cames. Literalment.

—Gràcies! —va dir en Ben al gat.

—Servidora no té gaire clar que el gat t'entengui —va comentar la reina.

—Em sembla que sí! —va contestar en Ben.

La reina va fer cara de confusió, però en Ben no volia compartir el seu secret amb ella. El **gat negre** l'havia protegit moltes vegades d'ençà que l'àvia s'havia mort, tal com feia l'àvia en vida. Potser l'esperit de l'àvia d'alguna manera era a dins del gat?

34

NOMÉS S'ÉS VELL UNA VEGADA!

Al cap de poc, els tres aventurers ja tornaven a ser al cotxe de policia d'en Fudge, i s'hi van enfilar just quan el vell majordom i la guàrdia reial els atrapaven.

BRUUUM!

La reina va pitjar l'accelerador fins al fons, però no pas abans que el valent majordom saltés sobre el capó del cotxe.

PATAM!

—SA MAJESTAT! ATURI EL COTXE!

—va cridar l'home, mentre travessaven el pati a tot drap.

La cara del vell majordom estava encastada al vidre. La reina va engegar l'eixugavidres amb l'esperança de fer-lo apartar.

Zim! Zam! Zim! Zam!

Però el majordom no es rendia.

—No pateixis, Majordom! Servidora només vol sortir a fer un tomb amb un cotxe de policia robat! Serà a casa puntual per esmorzar!

Quan va ser prou lluny dels guàrdies que corrien darrere del vehicle, va aturar el cotxe a poc a poc.

—Ets un majordom excel·lent, Majordom —va dir la reina—, però sisplau, no pateixis per servidora, que s'ho està passant la mar de bé!

El majordom va baixar del capó i va anar cap a la finestra del conductor.

—Gaudeixi de la seva llibertat, senyora. Déu sap que se l'ha ben guanyat!

—Molt agraïda, Majordom.

—Li preparo un ou passat per aigua amb torradetes per esmorzar, senyora?

—Com coneixes servidora.

—I si em permet dir-ho, està radiant vestida de llagosta. Però escolti, qui és aquesta nena tan bonica?

En Ben va remugar.

—GRRR!

Just en aquell moment la guàrdia reial va arribar al cotxe de policia. Els que hi havia un tros endavant començaven a tancar la reixa.

—A servidora li encantaria quedar-se a xerrar, però encara li queda una bona moguda per fer! Fins aviat! —va dir la reina.

El majordom va fer una lleu salutació a la reina i tot seguit ella va donar gas.

BRUUUM!

—No passarem entremig de les reixes! —va exclamar en Ben.

Es tancaven molt ràpid i el cotxe era massa ample per esmunyir-s'hi pel mig.

—Que tothom s'inclini cap a la meva banda!

En Ben i en Raj ho van fer, i el cotxe es va tombar i va quedar sobre dues rodes.

—Suposo que no... —va dir en Raj.

—I tant que sí! Només s'és vell una vegada! —va exclamar la reina, donant encara més gas.

BRUUUUM!

—No ho vull veure! —va esgaripar en Raj, amagant-se darrere de la màscara.

El cotxe va passar just a través de les reixes. En Raj i en Ben es van balancejar cap a l'altra banda del seient i el cotxe va tornar a terra amb les quatre rodes.

—Està SONADA, Sa Majestat! —va exclamar en Ben.

—Moltes gràcies! —va contestar ella, i van sortir disparats en la nit.

35

TOBOGAN AQUÀTIC

La primera parada era l'estadi de Wembley, per tornar-hi la **COPA DEL MÓN**. Quan el cotxe es va aturar allà al davant amb un grinyol, en Ben va preguntar:

—Com hi va entrar l'altra vegada?

—Servidora hi va anar volant i va aterrar al mig del camp amb l'ala delta plegable.

—Que glamurós! —va comentar en Raj.

—On coi es troba una ala delta plegable? —va preguntar en Ben—. M'agradaria molt tenir-ne una!

—En una visita a la seu dels Serveis Secrets de servidora, és clar!

—Ah, és clar! —va contestar en Ben amb ironia—. No sé per què no se m'havia acudit abans!

—I on és ara, l'ala delta plegable? —va preguntar en Raj.

—Al cim de la Torre de Londres, on l'he deixat abans —va contestar la reina.

—Oh! Va exclamar en Raj.

—Sí... Oh... —va respondre ella.

—Jo sé una manera —va anunciar en Ben tot orgullós.

—És un sistema que vas descobrir en **EL SETMANARI DEL LLAUNER**? —va preguntar la reina.

—No ben bé —va respondre ell—. D'uns llibres que vaig anar a buscar a la biblioteca. Resulta que el camp té un nou sistema d'aspersors d'alta tecnologia...

—Ja s'imaginava servidora que tenia a veure amb la lampisteria!

—O sigui, que hi deu haver una canonada força gran des d'un dipòsit d'aigua fins a l'interior de l'estadi. Si trobem el dipòsit, trobarem una via per esquitllar-nos a dins. Però potser serà un lloc estret!

En Raj va alçar la mà.

—Digues, Raj —va dir en Ben.

—Quan parles en plural, a qui et refereixes?

—A nosaltres tres. Tot i que algú s'haurà de quedar al dipòsit d'aigua per obrir i tancar la vàlvula.

—Això ho faré jo! —va exclamar en Raj.

La reina va començar a avançar lentament per donar la volta a l'estadi, però en Ben de seguida va cridar:

—ATURI'S!

Havia vist un rètol en una gran caixa metàl·lica que deia: **«VÀLVULA DE CONTROL DE TANCAMENT DE L'AIGUA»**.

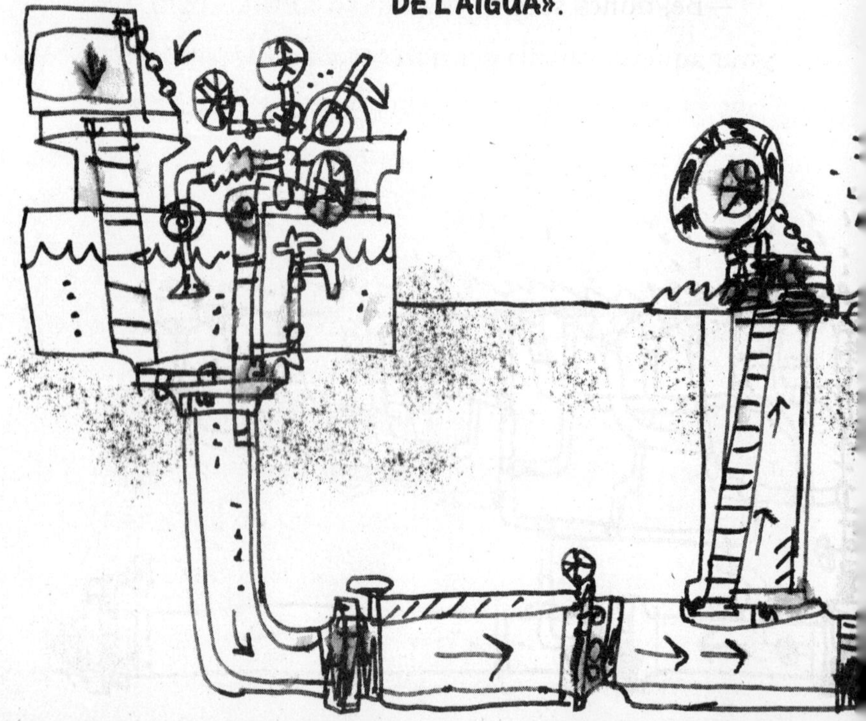

—Deu ser aquí dins!

Van alçar la tapa metàl·lica sense gaire dificultat i van descobrir un dipòsit d'aigua tan gran com una piscina.

—Em sembla que val més que hi vagi jo sol, Sa Majestat —va dir en Ben —. Quan la vàlvula s'obri, l'aigua sortirà a pressió per aquesta canonada i nosaltres baixarem per l'interior com si fos un tobogan aquàtic!

—Servidora sempre ha volgut baixar per un tobogan aquàtic! —va contestar la reina.

—Bé, doncs som-hi. Raj, quan jo t'ho digui, fes girar aquesta vàlvula per obrir la canonada.

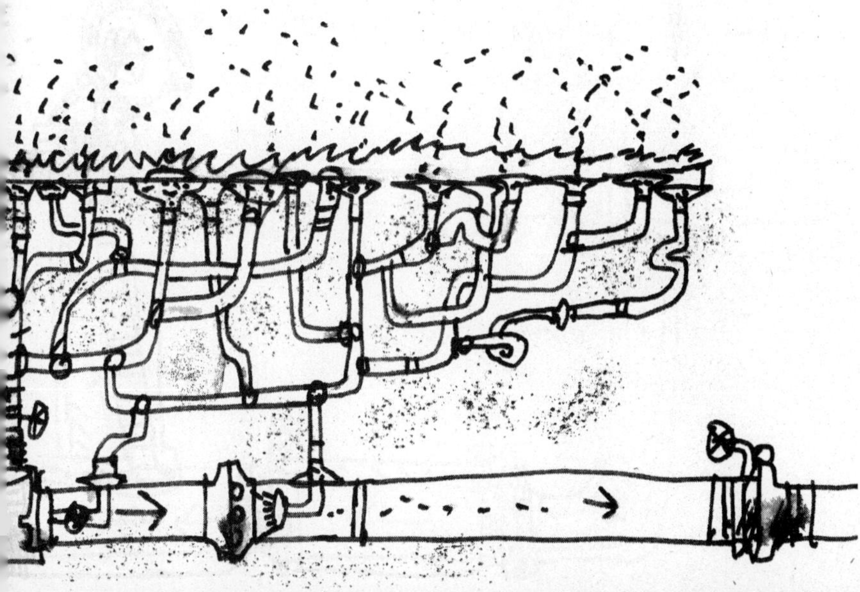

—Entesos! —va respondre.

—Primer les senyores! —va dir en Ben.

Encara subjectant la **COPA DEL MÓN** d'or, la reina va saltar per la boca d'accés al dipòsit d'aigua de sota.

XOFFF!

—Està freda? —va preguntar en Ben.

—NO ET VULL ESSSPATLLAR LA SSSORPRESA! —va respondre la reina mentre li petaven les dents.

En Ben va fer una ganyota i va saltar.

XOFFF!

El xoc de l'aigua freda va ser suficient per fer-lo xisclar.

—AAAAAAHHH!

Llavors va donar instruccions a en Raj.

—Gira la palanca de dalt completament cap a la dreta... ARA!

En Raj ho va fer.

—Ja està!

A l'instant, els dos que eren a l'aigua van notar que giraven en remolí cap avall, com si algú hagués tret el tap d'una banyera gegant, i els va xuclar una estreta canonada. Tal com havia explicat en Ben, era talment com un tobogan aquàtic.

–***UAAAUUU!*** –va cridar la reina, travessant la canonada a tot drap.

–AGAFI BEN FORT LA COPA DEL MÓN! –va cridar en Ben, i la seva veu va ressonar pel tub llarg de metall.

De seguida van quedar completament sota l'aigua, a mesura que la pressió augmentava per alimentar els aspersors de sota el camp. En Ben es va agafar a una escala amb una mà i la reina amb l'altra. L'escala pujava per un tub fins a una escotilla a la part superior, tal com deveu haver vist en algun submarí.

En Ben va fer girar el pany de l'escotilla i la va obrir. Ja eren al camp de futbol de l'estadi de Wembley. En Ben va sortir i després va ajudar la reina a pujar les últimes escales. Van quedar en silenci uns instants, observant el camp que els aspersors regaven a la llum de la lluna. Era **misteriós** i bonic al mateix temps. Hi havia *màgia* en l'aire.

—No oblidis mai aquest moment —va dir la reina.

—No l'oblidaré —va contestar en Ben, tremolant de fred.

—És un record especial. Ens pertany a nosaltres. I només a nosaltres. Ningú no ens el pot prendre.

Van estar en silenci un moment. Després, la reina va continuar:

—Fa fred, oi?

—Un fred **QUE PELA**!

—Vinga, anem a tornar aquest estri a la vitrina i toquem el dos!

—Cap on hem d'anar?

—Per aquelles portes d'allà, si servidora se'n recorda bé —va contestar la reina, assenyalant unes grans portes metàl·liques darrere de la porteria—. Però sembla que les han reforçat. L'altra vegada eren de vidre.

—És impossible passar per aquí!

—Ja pensarem alguna cosa. Vinga, anem!

Tanmateix, tot just van fer un pas, els focus van il·luminar el camp.

FLAIX!

NYIIIC!

Per un moment, en Ben va quedar encegat per la claror. L'única cosa que veia davant seu era una paret blanca de llum.

Després va sentir el motor.

BRRRUUUMMM!

No era el motor d'un cotxe, sinó d'un tallagespa. No va ser fins que en Ben va recuperar la visió que es va adonar de l'autèntic horror. Algú estava assegut a dalt d'un tallagespa colossal. De fet, més que un tallagespa, era un **tanc**. Però fos el que fos, es dirigia de dret cap a ells!

En Ben i la reina van intercanviar una mirada de TERROR TOTAL!

En pocs segons estarien cara a cara amb aquelles fulles giratòries gegants!

BRRRUUUMMM!

36

INTRUSOS

—QUI ÉS VOSTÈ? —va preguntar la reina, mentre el tallagespa gegant s'anava acostant.

BRRRUUUMMM!

En Ben es va fixar que el tallagespa tenia un rètol en un costat que deia: **«LA BÈSTIA»**. No estava segur si es referia a l'home o a la màquina.

—SOC L'ENCARREGAT DEL MANTENIMENT DEL CAMP! HEU ENTRAT SENSE PERMÍS A LA MEVA GESPA! —va contestar l'home cridant. Era un paio baixet, rodanxó i calb. Es podia confondre amb el dit gros d'un gegant—. SABEU QUÈ ELS PASSA ALS INTRUSOS QUE GOSEN TREPITJAR LA MEVA GESPA?

—NO! —va contestar en Ben, per sobre del rugit del motor—. PERÒ EM FA LA SENSACIÓ QUE ESTÀ A PUNT DE DIR-NOS-HO!

—ELS SEGO COM SI FOSSIN GESPA!

—Aquest home està ben guillat! —va cridar la reina—. Correm!

Però per molt que correguessin cap a una banda o cap a l'altra, l'encarregat de manteniment del camp els perseguia.

BRRRUUUMMMMMM!

—Tinc una idea! —va xiuxiuejar en Ben, mentre corrien fent esses entre els aspersors que regaven el camp—. Per què no el fem anar cap a les portes metàl·liques? Potser així podrem matar dos pardals d'un tret!

—Bona pensada!

Tots dos es van posar a córrer cap a les portes, amb la Bèstia al darrere. Els aspersors ruixaven l'encarregat de manteniment a la cara, cosa que li dificultava la visió.

Quan en Ben i la reina van arribar a les portes, es van girar per encarar-se a l'home.

—PREPAREU-VOS, QUE US SEGARÉ! —va cridar ell, eixugant-se l'aigua dels ulls.

—ARA! —va cridar en Ben.

Ell i la reina es van apartar d'un salt just en el moment en què la Bèstia s'encastava contra les grans portes metàl·liques.

CLUNC!

La força de l'impacte va fer caure l'home del tallagespa.

FIUUUU!

—AAAIII!

Va caure just a sobre de la xarxa de la porteria.

—US ENXAMPARÉ! —va cridar, però estava atrapat a la xarxa com una mosca en una teranyina.

—Diria que trigarà una estona, pel que sembla —va replicar la reina, amb ironia.

Tots dos es van esquitllar cap a l'interior de l'edifici en direcció a la sala d'exposició de la història del futbol.

Era ben bé el somni d'un fanàtic del futbol. Hi havia:

Les samarretes dels jugadors superestrelles

Banderes dels equips

Fotografies de partits històrics

Programes de recor

Medalles

Trofeus

Pilotes firmades

Botes de futbol de diferents èpoques

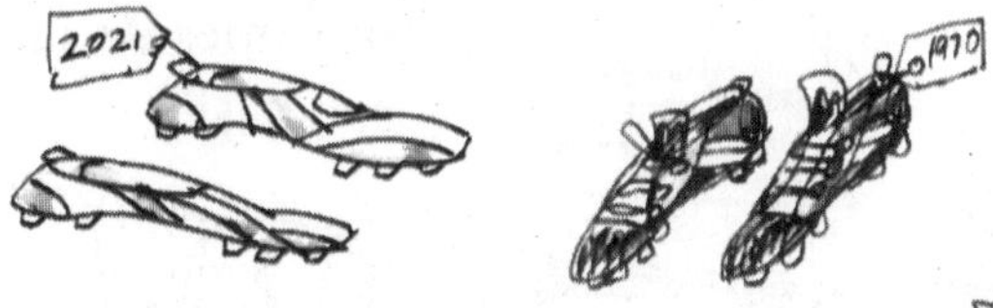

Fins i tot una o dues mascotes gegants

Àlbums de cromos antics

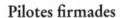

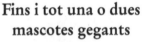

—Sa Majestat, vostè és aficionada al futbol? —va preguntar en Ben.

—Ui, no!

—Jo tampoc! Per tant, tot això no ens importa gaire a nosaltres!

—A veure, on és la peanya?

—La princesa Anna? —va preguntar en Ben.

—Servidora ha dit «peanya», no «Anna»!

Hi havia un pedestal buit de color blanc al centre de la sala.

—Allà! —va dir en Ben.

La reina va contemplar la **COPA DEL MÓN** per última vegada.

—Ha sigut divertit mentre ha durat —va dir, i llavors li va fer un petó i la va deixar a sobre la peanya.

Però just a l'instant en què la va col·locar al seu lloc, es va disparar una alarma eixordadora.

PIP-PIP-PIP-PIP-PIP-PIP-PIP-PIP-PIP!

—La peanya! —va cridar la reina—. Servidora no hi ha pensat! Té una alarma!

—Hem de tocar el dos d'aquí! I volant! —va dir en Ben.

Al passadís van veure les siluetes del que semblava una dotzena de guardes de seguretat que es dirigien directament cap on eren ells.

CLOC!

CLOC!

CLOC!

Les seves botes sonaven

contra el terra brillant.

37

L'AGENT RAJ

En Ben i la reina van córrer en la direcció oposada, de nou cap al camp de futbol. Tanmateix, allà els esperava una altra colla de dotze guardes de seguretat.

—PER L'AMOR DE DÉU, SORTIU DE LA MEVA GESPA! —els escridassava l'encarregat de manteniment del camp. Encara estava enredat a la xarxa de la porteria.

Els guàrdies el van ignorar. Semblaven infinitament més interessats a pescar aquells dos lladres que no pas a preocupar-se per un manyoc de gespa.

—No podem pas tornar per on hem vingut! —va dir en Ben.

La reina es va mirar la Bèstia de dalt a baix, com si fos un cavall de pura sang.

—Tens ganes de fer un tomb? —va preguntar.

—És la nostra única sortida!

—Som-hi!

Tots dos es van enfilar a la Bèstia. Un cop a dalt, la reina es feia un embolic amb els comandaments, i en Ben va engegar el motor per ella.

BRRRUUUMMM!

—Caram, gràcies jovenet!

Llavors va fer girar el volant.

NYIIIC!

El tallagespa gegant va començar a girar.

TXAC-TXAC-TXAC!

Immediatament, els guardes de seguretat es van apartar. No volien pas convertir-se en carn picada. Ara, ja sense obstacles al davant, en Ben va assenyalar cap al que semblava una sortida.

—PER ALLÀ, SENYORA! —va cridar per sobre el rugit del motor.

—LA MEVA BÈSTIA! TORNEU-ME LA BÈSTIA! —va esgaripar l'encarregat de manteniment des de la xarxa.

—AIXÒ MAI! —va contestar la reina, que sens dubte s'estava divertint potser una mica massa. Es va dirigir cap allà on li assenyalava en Ben.

La Bèstia va tombar una porta de doble fulla.

PAM!

I una altra!

PAM!

I encara una altra!

PAAAM!

Fins que van sortir de l'estadi.

Els guàrdies van córrer darrere seu.

CLOC!

CLOC!

CLOC!

Van donar la volta a l'edifici i van veure que en Raj els esperava al costat del cotxe de policia. En veure que s'acostaven guàrdies des de totes bandes, en Raj va decidir fer el seu paper com pogués, i es va afanyar a posar-se la gorra de policia d'en Fudge.

—Us pensàveu que podríeu robar un tallagespa gegant, oi? Bé, doncs, vosaltres dos, ESTEU DETINGUTS! PUGEU AL COTXE DE POLICIA QUE NOMÉS FA UNA MICA DE PUDOR DE KEBAB! RÀPID!

Seguint-li el corrent, en Ben i la reina van baixar del seient de la Bèstia, van acotar el cap i van dir:

—Perdó, agent Raj!

—NO HI HA PERDÓ QUE VALGUI! —va retronar l'agent Raj—. US PORTO DE DRET A LA PRESÓ! US HI PODRIREU LA RESTA DE LA VIDA!

Quan van haver pujat al seient del darrere del cotxe de policia, en Raj es va girar cap als guardes de seguretat.

—Moltes gràcies. A partir d'aquí l'agent Raj es fa càrrec d'aquest parell!

—Si és agent de policia, com és que va amb pijama? —va preguntar un guarda de seguretat intrèpid.

Els altres van murmurar mostrant-s'hi d'acord.

—Vaig tan d'incògnit que, de fet, és com si fos al llit! —va respondre en Raj, abans d'enfilar-se d'un salt darrere el volant i donar gas a fons.

BRRRUM!

38

UNA TRAMPA

En Ben, en Raj i la reina van riure de les seves aventures.

—HA! HA! HA! Ho hem aconseguit!

Efectivament. La seva missió per tornar la **COPA DEL MÓN** a l'estadi de Wembley havia sigut un èxit estrepitós. Ara només havien de tornar la màscara de Tutankamon al seu lloc dins del Museu Britànic i la reina quedaria neta de culpa.

A en Raj li encantava poder conduir el cotxe de policia. Va engegar la sirena i els llums per afegir-hi una mica més de dramatisme.

—L'agent Raj en missió secreta! —va cridar.

—Tant de bo aquesta nit durés sempre més! —va dir en Ben des de darrere.

—Ai, sí! —va dir la reina—. Però mira, durarà per sempre dins dels nostres cors.

Al cap de poc, el cotxe de policia es va aturar a l'entrada del Museu Britànic.

Les columnes enormes de la façana feien que l'edifici semblés de l'antiga Grècia. El museu s'havia construït tres-cents anys enrere, tot i que havia canviat molt al llarg dels segles. Contenia una quantitat impressionant d'obres d'art i objectes antics, de manera que era el lloc perfecte per guardar la màscara de Tutankamon. Bé, ho era fins que Sa Majestat la reina va decidir convertir-se en la nova **ÀVIA GÀNGSTER** i la va robar!

El peculiar trio va esperar a sortir del cotxe fins que els guardes de seguretat van fer la ronda per davant de l'entrada. La reina encapçalava la comitiva, amb en Ben i en Raj darrere seu portant la màscara.

—Com hi entrarem, en aquest lloc? —va preguntar en Raj, esbufegant de valent—. Això pesa més que una caixa de toffee!

—L'última vegada servidora va entrar per un dels túnels subterranis construïts durant el Blitz... —va començar a dir la reina, però en Ben la va interrompre.

—Aquests túnels condueixen directament al palau de Buckingham!

—Com ho saps?

—Vaig consultar uns quants llibres de la biblioteca sobre el museu. Aquesta era la gran pista! El túnel des de casa seva. Me n'hauria d'haver adonat abans!

—Però qui hauria sospitat mai de Sa Majestat la reina? —va dir ella, divertida.

—A partir d'ara, jo! —va exclamar en Raj—. Si em desapareix tan sols un xiclet de la botiga, n'hi donaré la culpa a vostè, senyora!

A la reina li feia molta gràcia tot això.

—Ha! Ha! Ha!

—Necessito descansar! —es va queixar en Raj.

—Jo també! —va dir en Ben—. Com s'ho va fer per transportar-la, senyora?

—Vaig fer que els meus gossos l'arrosseguessin amb un trineu! A l'estil àrtic!

—Això sí que és una **GÀNGSTER** de debò! —va dir en Ben.

—Sisplau, algú em pot dir com entrarem aquí dins? —va preguntar en Raj.

—Servidora no ho sap pas! Hauríem de tornar al palau de Buckingham per trobar l'entrada del túnel!

—Podríem deixar la màscara aquí davant de la porta! —va proposar en Raj—. Els guardes de seguretat de seguida hauran fet la ronda.

—Algú la podria robar! —va replicar en Ben.

La reina va empènyer la porta principal del museu, i es va obrir.

NYEEEC!

—Verge santa! Està obert! —va exclamar, molt sorpresa—. Seguiu una servidora!

En Ben i en Raj van intercanviar una mirada de preocupació abans de seguir la reina cap a l'interior del museu.

A dins tot estava tranquil i en silenci. Massa tranquil i en silenci, pel gust d'en Ben. El noi tenia la impressió que alguna cosa no rutllava.

—Això no va bé —va xiuxiuejar.

—Potser algú s'ha descuidat la porta oberta?A vegades em passa! —va mussitar en Raj.

—Això és el Museu Britànic. La gent no es descuida de tancar la porta! Podria ser una trampa! —va dir en Ben.

—Anem a deixar la màscara i toquem el dos de seguida! —va replicar en Raj.

Els seus passos ressonaven per tot l'enorme vestíbul. El museu conté vuit milions d'objectes. Malauradament, els nostres herois no tenien temps de veure'ls tots, però van passar per davant d'alguns dels artefactes més espectaculars que han sobreviscut des de les civilitzacions antigues:

El casc funerari de Sutton Hoo

És un casc funerari de bronze d'un guerrer o rei anglosaxó que data de fa més de mil anys. El van enterrar en un gran vaixell, juntament amb els seus tresors. Sutton Hoo és el nom de l'indret de Suffolk on van excavar el vaixell.

Les peces d'escacs de Lewis

Es tracta d'unes peces d'escacs tallades a partir d'ullals de morsa i balena pels voltants del segle XII.

El Fishpool Hoard

Un tresor de monedes d'or i d'objectes de joieria que daten del 1400. És la col·lecció de monedes medievals més gran que s'ha trobat mai a la Gran Bretanya.

Finalment, tots tres van arribar a la nova galeria especialment construïda, on hi havia hagut exposada la màscara de Tutankamon, juntament amb altres tresors de l'antic Egipte. Hi havia:

La pedra de Rosetta

Adornada amb jeroglífics gravats per sacerdots de l'antic Egipte.

EL CAP DEL FARAÓ

És un cap gegantí d'Amenhotep III, un faraó que va viure fa més de tres mil anys. Té una doble corona, cosa que significa que governava a l'alt i al baix Egipte.

LES MÒMIES DE GAT

A part de les mòmies humanes, el museu conté mòmies de gat i fins i tot de falcó de l'antic Egipte. En aquella època, a la gent li agradava ser enterrada amb les seves mascotes, per poder-les tenir al seu costat en el més enllà.

—Em sembla que no aguanto més aquest pes! —va explotar en Raj.

—Jo tampoc! —va afegir en Ben.

—Servidora us ajuda! —va dir la reina, i els va donar un cop de mà per transportar la màscara d'or durant l'última part del trajecte—. Oooh! Si que pesa!

—D'això ens queixem! —va remugar en Raj.

Just en aquell moment, van sentir un so familiar.

MEU!

Tornava a ser el **gat negre**. Però aquesta vegada estava enfilat justament al cap del faraó.

—Com s'ho ha fet el gat per arribar aquí des del palau de Buckingham? —va preguntar la reina.

—No és el mateix gat! —va dir en Raj.

—Que sí! —va replicar en Ben. N'estava segur. Aquest gat l'havia seguit a tot arreu, protegint-lo.

«MEU!», va repetir. Semblava que volgués alertar-los d'alguna cosa.

Va saltar del cap del faraó i va estirar la vora del vestit de princesa d'en Ben.

MEU!

—El tinc entremig dels peus! —va rondinar en Raj, i va intentar apartar-lo agitant un peu.

En aquell moment, es va sentir un soroll estrany a la seva esquena.

CRAC!

—AUUU! —va cridar de dolor—. La meva esquena! No puc aguantar més aquesta cosa!

En Ben i la reina van subjectar la màscara abans de col·locar-la de nou a dins de la vitrina de vidre a prova de bales.

—AUUU! Sempre aquest mal d'esquena! Necessito seure! —va dir en Raj, buscant una cadira.

«MEU!», va advertir el gat.

—Ho sento, Raj! Em sembla que el gat està intentant dir-nos alguna cosa. Hem de marxar d'aquí! I ràpid! —va dir en Ben—. Va, que t'ajudo!

—Servidora també! —va afegir la reina.

Entre tots dos van agafar en Raj un per cada banda, per poder suportar el seu pes. Junts van ajudar l'heroi a sortir coixejant de la sala enorme, més a poc a poc que un cargol, seguits pel gat.

—NO TAN RÀPID! —va ressonar una veu darrere del cap del faraó.

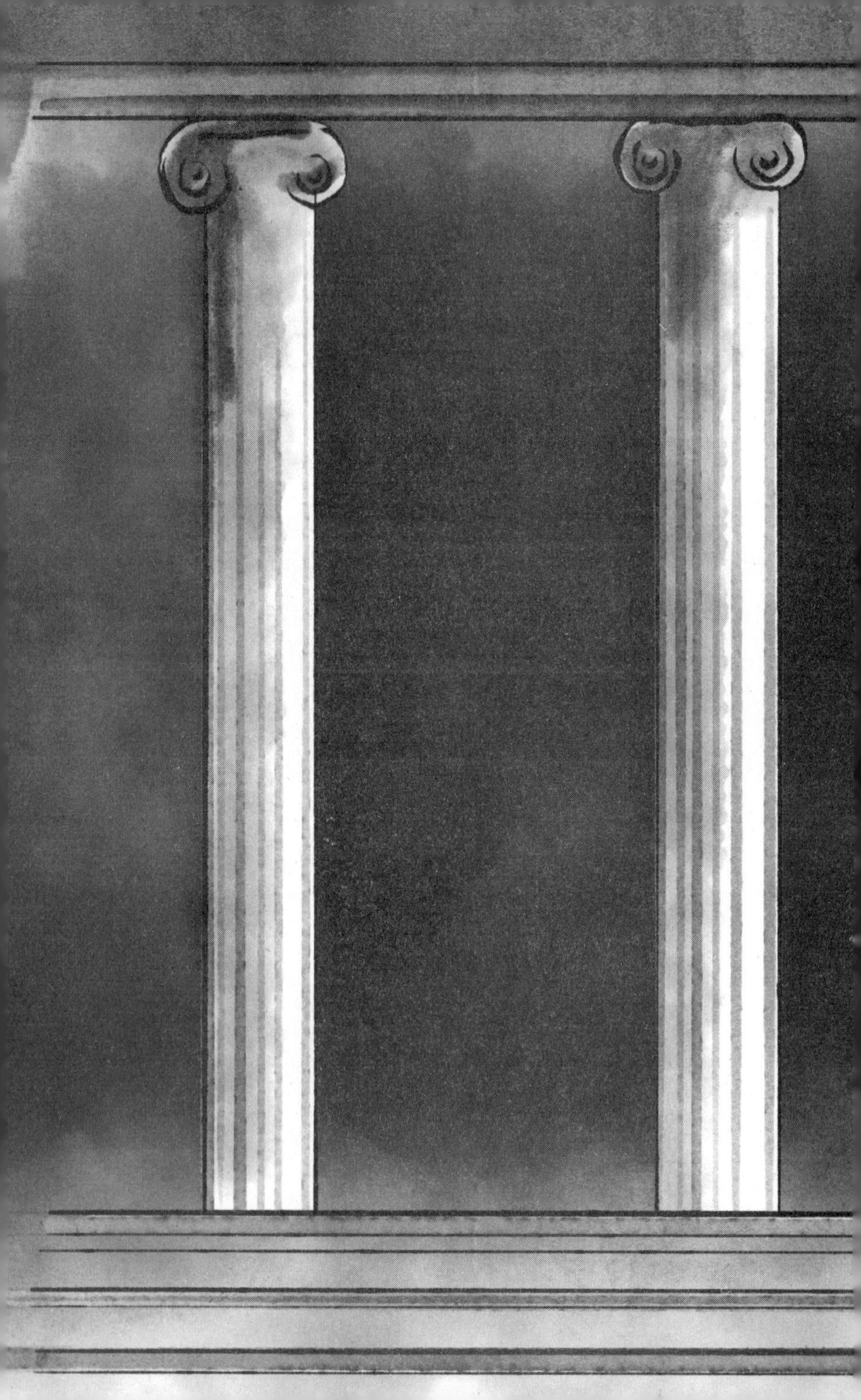

QUARTA PART

EL MOMENT DECISIU

39

LA REVENJA DELS VELLETS!

—Q-q-qui hi ha aquí? —va preguntar en Ben, tremolant de por.

Una figura va sortir de les ombres. Es va inclinar el barret de feltre.

Era per això que el gat no parava de miolar!

«MEU!», va tornar a fer el gat, com si volgués dir: «Ja t'ho deia, jo!». Es va escapolir com una pantera en la foscor del museu.

—**Soc jo!** El senyor Parker, el líder del **grup de Vigilància Veïnal** del teu barri, Secció Atrotinats! —va dir l'home—. I vosaltres esteu en detenció ciutadana!

Dit això, l'exèrcit de vellets va sorgir dels seus amagatalls i es van col·locar al seu voltant.

Aquesta vegada, la reina va fer cara d'esverada.

—Detenció ciutadana? Per què? —va protestar en Raj—. Si és per haver venut aquells caramels prellepats a la meva botiga...

—No és pas per això! —li va etzibar el senyor Parker—. Però ho afegiré a la llista de delictes! Ben, sabia des del primer moment que eres un supercriminal! Però per què vas disfressat de princesa? I per què aquesta senyora va vestida de llagosta?

—Tant és! Com han entrat? —va preguntar en Ben.

—La meva germana, la senyora Parker, també treballa com a voluntària a la biblioteca d'aquí del Museu Britànic. En té la clau. Us hem seguit des de la botiga d'en Raj, perquè la teníem vigilada des de feia un quant temps!

—Ja m'ha semblat que el veia amagat entre els arbustos! —va exclamar en Ben.

—Senyor Parker, suposo que no m'ha pas vist ballant per la botiga amb calçotets, oi? —va preguntar en Raj, molt amoïnat.

—És una visió que, per molt que vulgui, no l'oblidaré mai. I ara, exigeixo saber qui és la vostra còmplice disfressada de llagosta.

—Bona nit! —va dir la reina amb el cap cot—. Servidora és la mare d'en Raj!

—Aquesta veu em sona! —va exclamar la senyora Parker.

—A mi també! —va coincidir el seu germà.

—A mi no! —va dir en Ben.

—A mi tampoc! —va afegir en Raj—. Definitivament no és la veu de *Sa Majestat la reina*!

En Ben i la reina se'l van quedar mirant, horroritzats en veure que els havia delatat!

—Ups! —va fer en Raj.

—*Sa Majestat!* —va exclamar el senyor Parker, i va fer un pas endavant per mirar-la més de prop—. És vostè de debò?

—Sí! —va respondre la reina—. Servidora és servidora!

El senyor Parker i els seus ajudants de bones obres es van inclinar de seguida davant de la seva monarca.

—Correm! —va dir en Ben.

—No. Em sembla que el joc s'ha acabat —va dir la reina.

—És tot culpa meva! —va exclamar en Ben per protegir la seva nova amiga—. Haurien de deixar marxar la reina!

Ella va mirar el noi plena d'orgull.

—No, Ben. És servidora la que ha de carregar amb la culpa.

—A mi em sembla molt bé! —va dir en Raj.

—Jo vaig robar la màscara de Tutankamon, la **COPA DEL MÓN**, i hauria robat les *joies de la Corona* si aquest jove valent no m'ho hagués impedit.

—Però-però-però... —va balbucejar el senyor Parker—, per què *Sa Majestat la reina* hauria de robar les seves *joies de la Corona*?

—Per fer una cosa emocionant!

—Emocionant, senyora? —va preguntar la senyora Parker, totalment perplexa.

—Tota la vida de servidora ha estat planejada des del naixement. Sempre somrient i saludant amb la mà. Volia rebel·lar-m'hi! Fer alguna cosa esbojarrada!

—Senyora, hi ha coses esbojarrades i coses esbojarrades. Però això és ESBOJARRÀSTIC!* —va comentar el senyor Parker.

—Per això precisament ha sigut tan meravellós! Però ara la meva aventura s'ha acabat. Deteniu-me! —va dir, oferint els canells com si l'haguessin d'emmanillar.

—No la puc pas detenir, *Sa Majestat*! —va dir el senyor Parker.

—Jo sí! —va exclamar una dona amb cara sorruda

* Afegim nous termes al vocabulari de l'**univers Walliams**.

que hi havia un tros enrere—. Tanqueu-la i llenceu la clau!

—Senyora Winters! Sisplau! —va cridar el senyor Parker—. No li faci cas, senyora. Sempre es deixa endur per l'emoció.

—Bé, doncs, què farem ara, senyor Parker? —va preguntar la reina.

—No ho sé, senyora. Com ho explicarem, tot això?

—Ah, doncs jo tinc una idea! —va exclamar orgullós en Ben.

—Digues, sisplau —el va instar la reina.

—Per què no fem que el senyor Parker i la seva banda...

—Grup! —el va corregir el senyor Parker—. **Vigilància Veïnal** és un grup! Fas que semblem una colla de vàndals!

—Bé, doncs, per què no fem que el senyor Parker i el seu grup s'enduguin tot el mèrit d'haver recuperat la màscara de Tutankamon?

—Continua! —el va animar el senyor Parker, amb els ulls brillants d'emoció.

—El senyor Parker podria dir que ell i el seu grup van seguir la banda de lladres, i que en una lluita audaç i heroica els delinqüents van aconseguir fugir, però ell va aconseguir recuperar la màscara, un dels tresors més grans del món.

—Mmm. M'agrada la idea, noi! —va dir el senyor Parker—. I després, per descomptat, en senyal d'agraïment estarem tots convidats a te i pastissets al palau de Bunckingham.

—El dia que vulguin! —va respondre la reina.

Es van sentir murmuris d'aprovació entre els vellets.

—Oh! Una tassa de te ben bo!

—I un tall de pastís!

—De llimona si pot ser!

—Jo no puc menjar massapà. Em fa sortir urticària!

—Hi haurà panets amb melmelada?

—Que no sigui de mores, sisplau! Les llavors se'm fiquen entre les dents!

—Els dimecres jo no puc. És el dia que vaig al club de bridge.

—Al palau de Buckingham? Espero que puguem conèixer la reina!

—Tanqueu-la i llenceu la clau!

Bé, gairebé tots els comentaris eren d'aprovació.

—Servidora voldria afegir —va continuar la reina— que la gent com vostè, senyor Parker i la seva banda, vull dir grup, són la columna vertebral de la nostra gran nació. Gent gran lluitant contra el crim, mantenint els nostres carrers segurs. La Gran Bretanya necessita més persones com vostès!

En Ben va posar els ulls en blanc i al senyor Parker se li van omplir de llàgrimes.

—I per tant, senyor Parker, m'agradaria atorgar-li el **títol de cavaller**!

—Què? —va exclamar en Raj—. Això no és just!

El senyor Parker es va treure el barret, es va posar de genolls i va començar a somicar.

—UÀÀÀ! UÀÀÀ! És el dia més feliç de la meva vida! —va dir enmig d'una vall de llàgrimes.

—No ho sembla pas! —va comentar en Raj sarcàsticament.

—Algú seria tan amable d'anar a buscar una espasa? —va preguntar la reina.

—No el mati encara, senyora —va dir en Raj.

—No, no, ximplet! És per **nomenar-lo cavaller**!

—Ja la vaig a buscar jo mateix! —va exclamar el senyor Parker, que es va aixecar d'un salt i va desaparèixer corrents per les sales del museu.

Al cap d'un moment va tornar amb el que semblava una espasa de l'antiga Roma.

—Ah! —va exclamar la reina—. L'espasa de Tiberi, fixa't!

Va treure l'espasa de ferro de la beina daurada i la va admirar uns instants.

—Era un amic seu? —va preguntar en Raj.

—Per l'amor de Déu! Es va morir fa dos mil anys! —va exclamar la reina.

Com una mascota fidel esperant una llaminadura, el senyor Parker es va agenollar als peus de la reina.

—**Ja estic a punt!**

—Pels serveis al **grup de Vigilància Veïnal**, Secció Atrotinats —va dir—, li atorgo el títol de **SIR PARKER TAFANER**!

El senyor Parker estava tan cofat que semblava que hagués de sortir flotant dins d'una bombolla de felicitat.

—Oh! Gràcies, gràcies, gràcies, *Sa Majestat!* —va exclamar, besant els peus de la disfressa de llagosta.

—Sisplau, pari de fer això! —li va etzibar—. Servidora no suporta la gent que s'humilia!

Tot seguit, el senyor Parker es va redreçar i li va començar a besar les mans.

—Prou! Vostè és pitjor que els gossos de servidora!

—Li demano mil disculpes, *Sa Majestat!*

—Bé —va dir la reina—, tot i que a servidora li encantaria estar-se aquí disfressada de llagosta xopa de cap a peus mentre un desconegut li besa els peus i les mans, hem de marxar!

—És clar, *Sa Altesa més Reial i Majestuosa*.

—Pot avisar la policia tan bon punt siguem fora, i ens veiem tots al palau per prendre el te amb pastetes!

Dit això, en Ben, en Raj i la reina es van esfumar.

40

MANIQUÍ

—Com és que esteu tan sorruts aquí al darrere? —va preguntar la reina des del seient del conductor.

Era veritat. En Ben i en Raj estaven de molt mal humor.

—Com ho ha pogut fer? —va rondinar en Ben.

—Com he pogut fer què?

—Fer **CAVALLER** el senyor Parker! Es passarà tot el dia parlant d'això! —va afegir en Raj.

Era el final d'una nit molt llarga i ja començava a clarejar. Els carrers coberts de rosada estaven banyats per una llum taronja resplendent.

—Trenc d'alba! —va exclamar la reina—. És hora que tothom vagi a dormir!

—OH! —va cridar en Ben, que de sobte es va recordar d'una cosa.

Li va clavar un espant tan gros a la reina que va fer un cop de volant i el cotxe de policia es va desviar bruscament cap a l'altra banda del carrer.

NYIIIIIIC!

Va estar a punt d'envestir la flota de cotxes policials que ara corrien en la direcció oposada, amb els llums encesos i les sirenes udolant.

BRUUUM!

NI-NO! NI-NO! NI-NO!

Sens dubte, anaven cap al Museu Britànic.

—Perdona? —va dir la reina.

—Gairebé me n'oblido. Hi ha una última pista que la vincula a vostè amb els robatoris, senyora!

—Quina? —va preguntar.

—La figura de cera!

—És clar! —va exclamar—. Servidora també se n'havia oblidat!

—Quina figura de cera? —va preguntar en Raj.

—La de la reina al Royal Albert Hall que va servir d'esquer! —va contestar en Ben.

—Tens raó, jovenet —va dir la reina—. L'hem de tornar al museu de Madame Tussauds de seguida!

El cotxe de policia va girar bruscament en direcció al Royal Albert Hall. Amb les habilitats de conducció de la reina, van ser allà en un tres i no res.

NYIIIIIIC!

En Ben, en Raj i la reina s'hi van esmunyir per una porta lateral, fent-se passar per personal de neteja amb unes bates marrons que van trobar en uns penjadors tot just entrar. Havien netejat el vestíbul, després del caos que en Ben havia provocat durant la competició de **balls de saló**. La policia ho havia acordonat tot, inclosa la llotja reial. La reina tenia la clau de la llotja. Un cop a dins, es van alegrar de veure que la figura de cera continuava exactament al mateix lloc on la reina l'havia col·locat. La van agafar i la van arrossegar per on havien entrat tan ràpid com van poder.

Ara, a dins del cotxe policial hi havia dues reines: la de debò al darrere del volant i la de cera al seient del copilot.

En Ben i en Raj ho trobaven d'allò més peculiar, perquè la figura de cera era un retrat tan fidel que s'assemblava més a la reina que la reina!

El cotxe es va aturar amb un grinyol a fora del Madame Tussauds.

NYIIIIIIC!

El museu de cera estava a punt d'obrir les portes i ja hi havia una llarga cua de turistes a fora. Ara es tractava d'una cursa contra rellotge per col·locar de nou la figura de cera al seu lloc abans que el museu s'omplís de visitants.

—Porteu-la amb cura! —els va etzibar la reina, mentre observava com en Ben i en Raj intentaven, amb penes i treballs, treure la figura de cera de l'interior del cotxe de policia.

PAF!

—Au! —va cridar la reina de debò.

—No li pot pas haver fet mal a vostè! —va dir en Ben.

—Ni tan sols era el seu cap! —va afegir en Raj.

—Com si ho fos! A veure, com ho farem per portar servidora cap a dins sense que tothom sàpiga que és una servidora? —va preguntar, assenyalant la figura de cera.

—Podríem fer veure que és una persona real! —va suggerir en Ben.

—Tinc una idea genial! —va exclamar en Raj des dels peus del maniquí. Va alçar la vora del vestit i el va passar per sobre el cap.

FIIIUUU!

Ara no es veia la cara de la figura de cera. Però sí que es veien els seus calçons de la bandera de la Gran Bretanya!

—Així ja no se sap que és vostè! Soc ben bé un setciència! —va dir en Raj.

—T'ho repetiré per última vegada, Raj! És «setciències»! —va exclamar en Ben.

—No! No! No! —li va etzibar la reina—. Això no pot ser! No es poden veure les... Ai, servidora no gosa ni pronunciar la paraula!

—Calcetes? —va suggerir en Ben amb picardia.

—Roba interior? —va dir en Raj.

—Culots?

—Calces?

—Abrigaculs?

La reina els va interrompre.

—Oh, que n'arribeu a ser, de grollers! Abrigaculs, quins acudits! M'he de recordar d'aquesta expressió per fer-la servir el pròxim cop que obri el curs parlamentari... De moment en direm... impronunciables.

—Molt bé —va dir en Raj—, però com creu que podem ocultar la cara del maniquí, senyora?

—No és un maniquí, és una figura de cera! I a servidora tant li fa com li ocultem la cara, però no hauríem d'exposar les impronunciables de servidora. A veure, la dignitat sempre per davant de tot, sisplau!

—Tot això està molt bé, però com entrarem al museu? —va preguntar en Ben.

—L'altra vegada hi vaig accedir a través del sistema de metro. Servidora té un tren subterrani propi —va explicar la reina.

—És clar! —va replicar en Ben—. Però ara mateix no tenim temps per a aquests detallets. El museu està a punt d'obrir! Ens hem de colar com sigui fins al capdavant de la cua!

—És molt poc britànic no fer cua —va comentar la reina.

—Caram! Ha fet mai cua per alguna cosa, vostè?

La reina va fer veure que ho rumiava un moment abans de respondre, sense sorprendre ningú:

—No.

—Molt bé, doncs, anem a colar-nos com sigui! —va dir en Ben.

El noi agafava el cap del maniquí, i en Raj, els peus. Semblava que portessin una persona desmaiada.

—Perdó! —va dir als que feien cua—. Hem de passar! Aquesta senyora s'acaba de desmaiar a la cua!

Va funcionar. El mar de gent els va deixar pas. Amb la figura de cera sobre els seus caps, van avançar fins al capdavant i van arribar-hi just quan el museu obria les portes.

—M'han d'ensenyar les entrades, sisplau! —va ordenar la fornida guarda de seguretat de la porta. Era la mateixa que havia cridat l'alto a en Ben quan havia trobat la peça de **SCRABBLE**!

—Aquesta senyora s'ha desmaiat! —va contestar en Ben, afinant el to de veu perquè es correspongués amb el vestit que duia—. L'hem de fer seure en algun lloc!

La guarda de seguretat es va mirar la petita princesa amb desconfiança.

—Em sembla que t'he vist en algun lloc, noieta...

—No hi havia vingut mai, aquí! —va contestar de seguida en Ben.

—I com és que aquesta senyora porta el vestit a sobre la cara? —va demanar la guarda de seguretat, mentre abaixava el vestit. Quan va revelar la cara de la figura, va exclamar—: És exacta que la reina!

Després se la va tornar a mirar quan va veure la reina de debò.

—I vostè també, senyora llagosta! —va exclamar, examinant la cara de la reina—. Un moment! Aquesta és la figura de cera que van robar! Aquí passa alguna cosa molt estranya!

Vaig a trucar a la policia!

41

UNA MICA ESGARRIFOSA

—Què fem, ara? —va preguntar en Ben, aterrit.

—Correm! —va contestar en Raj.

Mentre giraven esverats pel pànic, el cap del maniquí de la reina va donar un cop al cap de la guarda de seguretat.

CLONC!

Va ser un accident afortunat, perquè va deixar fora de joc la guarda de seguretat, que va caure a terra amb un cop sec. ***PUM!***

—Anem a col·locar servidora al seu lloc i toquem el dos d'aquí! —va xiuxiuejar la reina.

Tots tres (bé, tots quatre, incloent-hi la figura de cera) van córrer cap a l'interior del museu.

—Per aquí! —va cridar la reina.

Van passar esperitats per davant de les figures de cera d'estrelles del pop, estrelles del cine, estrelles de l'esport, fins que van trobar la gran sala decorada com un palau. Orgullosament exposades hi havia una dotzena de figures de cera de la família reial, totes engalanades amb els seus millors vestits.

—On va vostè? —va preguntar en Raj.

—Servidora va allà, a la part del davant i al centre! —va contestar la reina, tota cofada.

En Ben i en Raj van col·locar el maniquí al seu lloc.

—Ai! Que bé tornar a ser aquí! —va sospirar la reina.

Després es va mirar la disfressa de llagosta tota humida i el vestit de la figura de cera.

—Servidora es podria canviar de roba!

—No hi ha temps! —va exclamar en Ben—. Ja se senten els primers visitants entrant al museu!

Efectivament, els arribaven les converses animades que ressonaven pels passadissos.

—Servidora ja s'afanya! Gireu-vos d'esquena, nois! Res d'espiar!

En Ben i en Raj es van tombar. Al cap d'un moment, la reina va dir:

—Ja us podeu tombar!

Ara, la reina duia el vestit del maniquí i el maniquí duia la disfressa de llagosta.

La reina tenia l'aspecte de..., bé, de *la reina*.

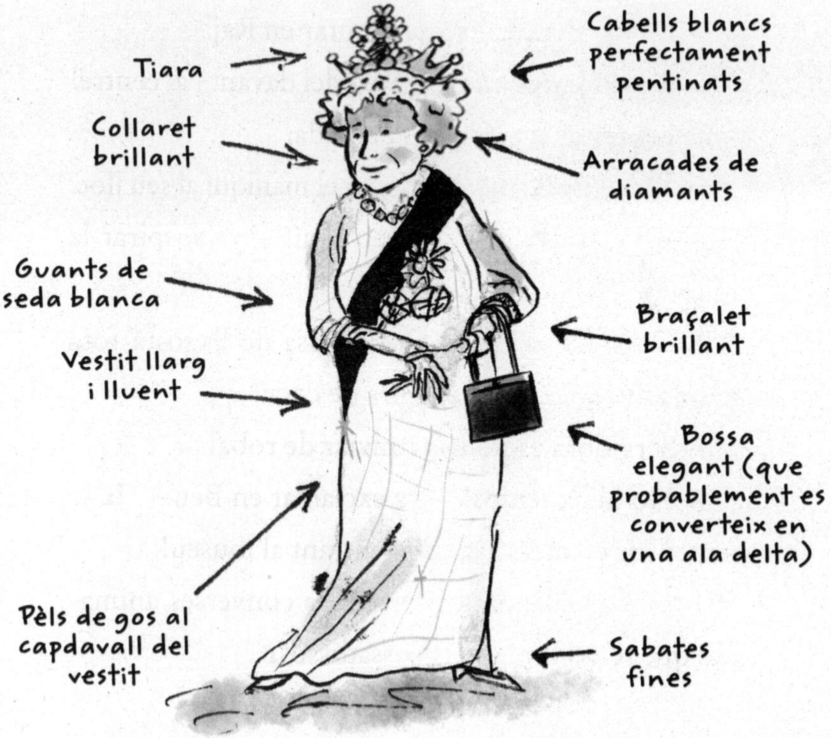

—Que ràpida! —va reconèixer en Ben.

—Servidora ha de saber canviar-se ràpid en qualsevol ocasió!

—Caram! —va exclamar en Raj—. La meva disfressa de llagosta al museu de Madame Tussauds! I deixi'm dir-li, senyora, que ara té un aspecte molt...

—*De reina?* —va suggerir la reina.

—Sí! De *reina*!

—Però m'agrada més servidora disfressada de llagosta.

—A mi també! —va dir en Raj somrient—. Escolti, puc fer-li'n una bona oferta, si en vol una altra!

El brogit dels visitants se sentia cada vegada més a prop.

—Hem de marxar! —va dir en Ben.

Tots tres van córrer cap a la sortida, però just quan es disposaven a abandonar la sala van veure un trio de turistes americanes que s'acostaven directament cap a ells.

—No! —va exclamar la reina—. Què fem, ara?

—Faci veure que és la seva figura de cera! —va suggerir en Ben.

—Què? —va exclamar ella.

—Quedi's ben quieta i nosaltres ja direm alguna cosa!

Per una vegada, la reina va fer el que li deien i es va quedar *completament immòbil*. Ni tan sols parpellejava. Al cap d'uns instants, les turistes americanes, tres dones corpulentes amb impermeable, texans, vambes i samarreta amb «i love usa» estampat al davant, van entrar a la sala.

—Ai, mira! —va dir una—. És *Sa Majestat la reina de la Vella Alegre Anglaterra!* En necessito una foto per ensenyar-la als amics!

—Jo també!

—I jo!

Totes tres es van apinyar al costat del «maniquí».

—Li fa res fer-nos una foto, sisplau, senyor? —li va demanar una a en Raj.

—I tant, senyores! —va contestar ell, agafant la càmera—. Diguin «lluís»!

—LLUÍSSS!

CLIC!

—Ai, sembla més vella que a la vida real! —va comentar una.

—I més baixa! —va dir una altra.

—I més grassa! —va dir la tercera.

La reina, que s'havia estat mossegant la llengua, no es va poder contenir més.

—Com goseu! —va retronar.

Les tres americanes van saltar enrere, espantades.

—AAAAIII!

—SOCORS!

—ESTÀ VIVA!

—Mmm... No s'espantin, senyores! —va dir en Ben—. Som treballadors del museu. Només és una de les noves figures de cera que parlen.

—És molt real!

—Massa real!

—I una mica esgarrifosa!

—Bé, de moment només fem proves amb aquesta. Anem, reina robot! —va dir en Ben.

Entre ell i en Raj, es van endur ràpidament la reina passadís avall.

—Quin robot més maleducat! —va dir una de les dones.

La reina es va girar i els va fer un enorme pet amb la boca.

—PRRRRRRT!

42

UNA AUTÈNTICA GÀNGSTER

—És molt divertida, vostè! —va comentar en Ben mentre travessaven Londres amb el cotxe.

—Què esperaves de servidora? —va preguntar la reina des del volant.

—Bé, em pensava que seria molt refinada i que ens miraria per sobre l'espatlla a mi i a en Raj.

—Tots som persones, oi?

—Suposo —va respondre en Ben.

—Tant és com haguem nascut. En realitat, tots som iguals.

—Però vostè és la reina!

—Sí, però servidora és igual que qualsevol altra

senyora gran de la Gran Bretanya. M'agraden els meus gossos, un gotet de ginebra molt de tant en tant i mirar **SENZILLAMENT ESTRELLES DEL BALL**.

—A totes les senyores grans els agrada aquest programa? —va preguntar en Raj des del seient del darrere.

—Sembla que sí. És genial. Especialment aquell galant d'en Flavio Flavioli!

—Oh, no! —va exclamar en Ben—. Vostè també, no!

—Bé, és que és molt ben plantat!

En Ben i en Raj es van mirar i van fer veure que vomitaven.

—**UAGGG!**

Això va fer riure molt la reina.

—Ha! Ha! Ha!

Al cap de poc van arribar de nou a la botiga d'en Raj.

DING!

—NOOOOOOOOOOOO! —va esgaripar en Raj quan van travessar la porta.

En Ben no l'havia vist mai tan enfadat. Tenien una escena de destrucció davant seu. El terra era un mar d'embolcalls de caramels.

Havien deixat l'agent Fudge allà sol tota la nit, i l'home s'havia cruspit tot el que havia trobat a la botiga. Just quan entraven, s'estava menjant una pastilla de sabó!

CREC-CREC!

No quedava res comestible!

—Doni'm això! —va dir en Raj, prenent-li la pastilla rosegada de la mà—. Això no és per menjar! És sabó!

—Ja m'ho semblava, que tenia un gust estrany! —va contestar en Fudge—. He vigilat la botiga superbé. No he deixat que ningú pispés res!

—Bé, gràcies a vostè no ha quedat res per pispar!

—Podem calmar-nos una mica, sisplau? —va ordenar la reina—. És molt tard! Fudge, ara ja és hora que acompanyi servidora al palau.

—Serà un honor, senyora! —va contestar—. Vaig a engegar el cotxe. —La reina va fer dringar les claus davant de la seva cara. L'agent Fudge les va agafar i va sortir de la botiga—. Per cert, gran part del que m'he cruspit estava caducat —va dir mentre travessava la porta.

—FORA! —va cridar en Raj.

DING!

L'agent Fudge no s'havia afanyat mai tant.

—Bé, senyora, suposo que és hora d'acomiadar-nos —va començar en Ben.

—Sí —va contestar ella—. Aquesta ha sigut la nit més excitant de la vida de servidora. I tot gràcies a tu, Ben!

—Per a mi també ha sigut la nit més excitant. Bé, sense oblidar la nit que vaig passar amb l'àvia.

—Tens raó. Si no fos per ella, no ens hauríem conegut mai, i tot això no hauria passat.

—L'àvia era la millor.

—Servidora s'ho imagina.

—L'estimava tant! —va dir en Ben, i li va baixar una llàgrima per la galta.

La reina el va abraçar i van estar agafats en silenci una estona.

—Encara l'estimes. I sempre l'estimaràs. Quan es va morir, vas superar una forta tempesta. Amb el temps, la pluja s'ha anat suavitzant, i algun dia servidora et promet que veuràs el cel blau.

—Però no l'oblidaré mai, l'àvia! —va dir en Ben.

—És clar que no. Ella sempre serà al teu costat.

En aquell moment, una cosa peluda va serpentejar entre les cames d'en Ben. Era la cua del **gat negre**!

«RRR!».

—El **gat negre**! —va exclamar el noi.

—Ho sento —va dir en Raj—, però no permeto mascotes a la meva botiga!

En Ben va estirar els braços i el gat hi va saltar a sobre.

—No pateixis, el duré a casa.

«RRR!».

El gat va llepar suaument una llàgrima de la galta d'en Ben.

—Gràcies de tot cor, senyor Raj —va dir la reina—. Em sap greu que en Fudge s'hagi cruspit totes les seves llaminadures.

—No passa res, senyora.

—Servidora li farà arribar un cistell ben gros de dolços reials perquè els pugui vendre al seu establiment. Mel, melmelada, galetes i coses per l'estil, tot casolà.

A en Raj se li va il·luminar la cara.

—Oh, gràcies, senyora!

—És un home meravellós, senyor Raj. No ens n'hauríem pas sortit sense vostè!

En Raj va acotar el cap i va besar la mà de la reina.

—MUAC!

—A reveure, companys. Servidora us trobarà molt a faltar.

DING!

En Ben i en Raj van observar la reina mentre anava cap al cotxe de policia. Va ordenar a en Fudge que ocupés el seient del copilot i ella es va posar darrere el volant. Els va fer una última salutació reial amb la mà abans de pitjar a fons l'accelerador...

BRRRUUUMMM!

... i va desaparèixer carrer enllà.

—Quina dona! —va exclamar en Raj.

—Una autèntica **GÀNGSTER**! —va contestar en Ben—. Deixa'm ajudar-te a netejar la botiga.

—Oh, ets molt amable, Ben, però no cal. El que has de fer és anar cap a casa. Segur que els teus pares estan patint.

—Més aviat estaran molt enfadats amb mi.

—No. S'alegraran molt de veure que estàs bé.

T'estimen, Ben, encara que a vegades no sàpiguen demostrar-ho prou. I a més, els has de presentar el nou membre de la família. Aquest gat esgarriat! És evident que necessita una llar!

—Ai, sí. A veure com acaba això! —va dir en Ben, encara bressolant el gat entre els braços—. Adeu, Raj!

—Escolta, no t'interessa pas una oferta especial de menjar de gat?

—He de marxar!

—De fet, oblida-ho! En Fudge també se l'ha cruspit!

—Ha! Ha! —va riure en Ben.

Just quan el noi arribava a la porta, va veure una figura a fora al carrer. Una figura amb un barret de feltre!

DING!

L'home va entrar a la botiga, amb uns aires de petulància insuportables.

—Bon dia, senyor! —va dir a en Raj—. Té el meu diari? Me'l guarda a nom de... Senyor Parker... o bé, més aviat..., **SIR PARKER!**

—OH, NOOOOOOOOO!!!

—van exclamar en Ben i en Raj.

43

UN ENTREPÀ DE PARE I MARE

Quan en Ben va arribar a casa, va alçar l'estora de **SENZILLAMENT ESTRELLES DEL BALL** per agafar la clau de la porta. Era un lloc increïblement enginyós per amagar-la! A cap lladre no se li acudiria mai de buscar-la allà!

Tan bon punt va posar la clau al pany, va sentir veus.

—BEN!

—BEN!

La mare i el pare el cridaven. Estaven enfadats?

Tot just obrir, va veure que tots dos estaven plorant.

—Oh! El meu petit Benny! —va cridar la mare, abraçant-lo molt fort.

—Estàvem molt amoïnats! —va afegir el pare, que se li va acostar pel darrere per fer un entrepà de pare i mare.

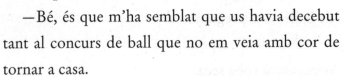

—Ho sento! —va contestar en Ben.

—On has estat tota la nit? —va preguntar la mare.

—Bé, jo, eeeh...

—Digues! —va insistir el pare.

—Bé, és que m'ha semblat que us havia decebut tant al concurs de ball que no em veia amb cor de tornar a casa.

Només era una mitja mentida. Tan sols havia passat per alt el petit detall sobre les corredisses per Londres amb un cotxe de policia amb en Raj i *Sa Majestat la reina*.

—No et veies amb cor de tornar a casa! —va repetir la mare, ara plorant a llàgrima viva—. Això no seria una casa sense tu, Ben.

—Ets el centre del nostre univers! —va afegir el pare.

—Em pensava que els **balls de saló** eren el centre del vostre univers.

El pare i la mare es van mirar, sense saber què contestar.

—Jo diria que els **balls de saló** són al costat del centre! —va dir la mare.

—Exacte, jo no ho hauria sabut expressar més bé! —va dir el pare.

—Però com és que vas disfressat de princesa, Ben? —va preguntar la mare—. És un nou conjunt de ball? —va preguntar, esperançada.

—No! —va respondre ell amb fermesa—. És que necessitava roba seca.

«MEU!», es va sentir des de terra.

—De qui és aquest gat? —va preguntar la mare.

—Nostre —va respondre en Ben mentre el gat li saltava de nou als braços i li llepava el coll.

—Com es diu? —va preguntar el pare.

En Ben ho va rumiar uns instants.

—A. G.

—Age? —va preguntar la mare.

—No! Les inicials A. G.

—Volen dir alguna cosa?

—Sip! —va respondre en Ben.

—Què?

—Ja us ho diré algun dia!

—Quin *misteri*! —va exclamar la mare—. Però va, anem cap a dins.

—Estic tan content que siguis a casa, fill! —va afegir el pare.

—Jo també —va contestar en Ben mentre entraven a dintre...

tots junts...

com una família.

44

EL DISCURS DE LA REINA

Una setmana després, més o menys, era Nadal. La família Herbert, amb el gat A. G. inclòs, o l'**Àvia**

Gàngster, tal com en Ben li deia en secret, van seure junts per mirar el discurs de la reina. Aquest any tenien una convidada. En Ben havia suggerit que podrien convidar l'Edna, perquè si no la dona hauria de passar les festes de Nadal sola a la residència d'avis. Com que no tenia fills ni nets, l'Edna va acceptar encantada la invitació.

Després del sopar de Nadal, tots ben tips, es van escarxofar al sofà per mirar el discurs de la reina. En Ben es va ruboritzar quan la va veure, encara que fos a la pantalla de la tele. Aquest any, la reina tenia una ***lluïssor*** entremaliada a la mirada des de bon principi de l'emissió.

Quan la música de l'himne nacional es va acabar, la reina, amb un aspecte resplendent i amb el mateix vestit que havia intercanviat amb la seva figura de cera, es va adreçar al país des del saló de ball del palau de Buckingham.

—Ara que un altre any arriba a la seva fi,

Nadal és temps de reflexió —va començar a dir—. Servidora ha estat reflexionant sobre si mateixa, sobre la seva vida. Ningú no viu eternament; per tant, si hi ha alguna cosa que volem fer, alguna cosa que sempre hem desitjat, l'hem de fer. I l'hem de fer ara. Sense perdre temps. No fa gaire, servidora va viure la nit més emocionant de la seva vida.

Des del sofà, en Ben va empassar saliva i el **gat negre** va fer una rialleta entre dents.

«Sss! Sss! Sss!».

—Va ser una nit que servidora no oblidarà mai. L'únic que pots fer en aquesta vida és intentar complir els teus somnis. Altrament, només perds el temps. En relació amb això, he de confessar que servidora sempre ha seguit el programa **SENZILLAMENT ESTRELLES DEL BALL**, cada dissabte al vespre a la tele. Sempre he desitjat que se'm demanés de participar-hi, però malauradament no se m'ha demanat mai. No en sé el motiu. Potser servidora és massa gran? O no és prou famosa? Bé, és igual. Perquè ara i aquí, el regal de Nadal de servidora per a tot el país és un número de ball amb la companyia del galant de **SENZILLAMENT ESTRELLES DEL BALL**, que acaba de sortir de l'hospital després de recuperar-se d'una lesió a les natges, Flavio Flavioli!

—Mare meva! —va exclamar la mare.

En Flavio Flavioli es va acostar a la reina remenant els malucs i la va fer aixecar de la butaca esti-

rant-la de la mà. Tot seguit, es van preparar per començar el ball.

A en Ben li va encantar veure la seva amiga tan plena d'alegria. Qui podia retreure a aquella dona una estoneta de diversió?

—Música, sisplau! —va ordenar la reina.

Va aparèixer una banda militar vestida de gala. Van començar a interpretar una versió funky de «God save the queen». En Flavio feia giravoltar la reina pel saló de ball del palau de Buckingham. Hi va haver moments de drama. Moments de comèdia. Moments de màgia. Fins i tot, en una ocasió, en Flavio va alçar la reina per sobre el seu cap i la va fer girar en l'aire. La gent no havia vist mai *Sa Majestat* tan feliç! Va ser MERAVELLÓS!

Quan el ball es va acabar, amb la reina entre els braços d'en Flavio, en Ben, la mare, el pare i l'Edna es van aixecar aplaudint fervorosament! Fins i tot el gat A. G. va ajuntar les potes com a felicitació.

Més tard, en Ben i l'Edna eren a la cuina rentant els plats, mentre el pare i la mare dormien al sofà tot mirant l'especial de Nadal de **SENZILLAMENT ESTRELLES DEL BALL** espectacular! a la tele.

«ZZZ! ZZZ! ZZZ! ZZZ! ZZZ! ZZZ!», roncaven, i s'ho van perdre tot perquè havien menjat i begut massa.

—He estat pensant —va dir l'Edna.

—Ah, sí? —va contestar en Ben, passant-li la salsera perquè l'eixugués.

—Sobre el que ha dit la reina. I el que ha fet.

—Ha sigut genial!

—D'ençà que es va morir el meu marit, trobo a faltar alguna emoció a la vida.

—Ah, sí?

—I he pensat que potser t'agradaria acompanyarme en alguna petita aventura.

—Quina mena d'aventura?

—Bé, tot això que ha sortit a les notícies últimament sobre el robatori de la màscara de Tutankamon i la **COPA DEL MÓN**...

—Què vols dir? —va preguntar en Ben, aterrit per si li descobrien el secret.

—Van tornar les coses al seu lloc! Ningú no n'ha sortit perjudicat! Ho trobo meravellós!

—No vols pas dir que...?

—Sí. Vull ser una **GÀNGSTER**, Ben. Encara que només sigui per una nit.

—Vine amb mi! —va dir en Ben.

El noi va portar l'Edna cap al garatge, amb el **gat negre** darrere seu.

—UAU! —va exclamar l'Edna—. És genial!

—És l'escúter de mobilitat reduïda de l'àvia: la **Millicent**.

—Oh, es veu molt diferent! —va afegir l'Edna, meravellada.

—Bé, és que l'he arreglat una mica! Ara és pròpia d'una **GÀNGSTER**! Vols anar a fer un tomb?

—I tant! —va respondre l'Edna, enfilant-se al seient.

En Ben va pujar al darrere de l'escúter i el gat A. G., a la cistella.

—On anem? —va preguntar l'Edna.

—Allà on et portin els teus somnis!

—Ha! Ha! —va riure l'Edna abans de pitjar l'accelerador a fons—. Som-hi, **Millicent**!

Anem a menjar-nos el món!

BRRRRUM!

—Ja hi tornem a ser! —va exclamar en Ben, mentre desapareixien cap a una nova aventura nocturna.

EL FINAL...?